中公新書 1686

中西 寛著

国際政治とは何か

地球社会における人間と秩序

中央公論新社刊

国際政治とは何か　目次

国際政治とは何か——地球社会における人間と秩序

序章　国際政治への問い

イラクの大量破壊兵器をめぐる国連査察団の報告を聞く
国連安全保障理事会（2003年１月27日　©AP/WWP）

ショウの警句

イギリスの文筆家バーナード・ショウが十九世紀末に書いた喜劇『運命の人』の中に次のような一節がある。

イギリス人は生まれつき世界の支配者たるべき不思議な力を持っている。彼はある物が欲しい時、それが欲しいということを彼自身にさえ言わない。彼はただ辛抱強く待つ。その内に、彼の欲しい物の持ち主を征服することが彼の道徳的宗教的義務であるという燃えるような確信が、どういうわけか、彼の心に生じてくる。……彼は効果的な道徳的態度を見つけだすのに決して不自由することがない。自由と国民的独立とをふりかざしながら、世界の半分を征服し併合して植民と称する。またマンチェスターの粗悪品のために新しい市場が欲しくなると、まず宣教師を送り出して土人に平和の福音を教えさせる。土人がその宣教師を殺す。彼はキリスト教防衛のために武器を執って立つ。キリスト教のために戦い征服する。そうして天からの報いとして市場を手に入れる。……悪いことも善いこともおよそイギリス人が手をつけないようなことは世の中に一つもないが、イギリス人が自らを不正と非難される立場に置くことは決してないのである。彼は何事でも原則に基づいてやる。戦う時には愛国の原則に基づいている。泥棒する時には、実業の原則に。他人を奴隷化する時には、帝国主義の原則に。……国王を支持する時には王党派の原則に、国王の首を切り落とす時は共和政の原則に基づく。彼の標語は常に義務である。しかしイギリス人は、その義務が自らの利益に反するような者は敗者だということを決して忘れはしないのである。

この一節は、二十世紀前半の日本の知識人にとってことさらに印象深いものだったようである。そのことは、二人の人物が、かなりの時を隔ててこの一節を同じように引用していることからうかがえる。その第一は、大正から昭和にかけての日本を、おそらくそのマイナス面も含めて代表していた近衛《このえ》文麿《ふみまろ》の「英米本位の平和主義を排す」という論文である。一九一八年(大正七年)秋、第一次世界大戦末期に書かれたこの論文で近衛は、英米が唱える平和主義や国際連盟が実はアングロ・サクソンの欺瞞《ぎまん》の産物であると批判した。

ショウの言ふ所稍奇矯《ややききよう》に過ぐと雖《いえど》も、英国殖民史を読む者は此言の少くも半面の真理を穿《うが》てるものなる事を首肯すべし。吾人は我国近時の論壇が英米政治家の花々しき宣言に魅了せられて、彼等の所謂《いわゆる》民主主義人道主義の背後に潜める多くの自覚せざる又は自覚せる利己主義を洞察し得ず、自ら日本人たる立場を忘れて、無条件的無批判的に英米本位の国際連盟を謳歌《おうか》し、却《かえ》つて之を以《もつ》て正義人道に合すと考ふるが如き趣あるを見て甚だ陋態《ろうたい》なりと信ずるものなり。吾人は日本人本位に考えざるべからず。(1)

第二は、大正から昭和にかけての知識人の代表とも目される和辻哲郎《わつじてつろう》である。彼は太平洋戦争中の一九四三年（昭和十八年）に書かれた「アメリカの国民性」という文章の冒頭にショウの前述の一節を掲げ、「これはショウ一流の皮肉として、この喜劇の看客を苦笑せしめたに過ぎないかも知れぬ。しかし自分はここに赤裸々の真実を見る。そうしてこういう真実を単なる皮肉として笑ってすませているところに、イギリス人の図太さを看取し得ると思う」と続け、さらにこの心性がアメリカにも移植されていると論じてアングロ・サクソンの偽善を非難するのである。(2)

もちろん近衛も和辻も、この一節が希代の皮肉家ショウの手になる劇作の一部であることは理解していたから、その言葉を正面から受け取っているわけではない。また、近衛が論文を書いた時には彼はまだ二十代後半と若かったし、和辻の文章は戦時中という制約の下で書かれた。しかしこれらのことを割り引いても、英米が高い原則を掲げながら自らの利益を追求していることへのほとんど道義的な怒りが近衛と和辻の文章の動機をなしていることは否定しえないであろう。ショウの劇作の一節が当時の日本人に強い共感を引き起こす視点をもっていたことは間違いない。そしてこの認識は、英米との戦争にまで至る日本の対外観の基調ですらあったと言えるだろう。それは、一九四一年十二月八日の開戦の詔勅の中の「米英両国ハ……平和ノ美名ニ匿《かく》レテ東洋制覇ノ非望ヲ逞《たくま》シウセムトス」という言葉に最もよく示されている。

たしかに英米の行動に偽善を見る近衛や和辻の視点は一定の鋭さをもっていた。国際連盟が平和を唱えながら現状維持を図り、門戸開放と機会均等の原則が、実は英米が中国で販路と影響力を拡大することに資することを期待した面は否定できない。たとえばアメリカの元外交官、ジョージ・ケナンが門戸開放宣言について述べたように、それは「高遠な理想的な響きをもっていたし、国内において聞えがよかった。また、それは明らかにアメリカの貿易上の利益と合致」していたのである。(3) のみならず、フィリピンやプエルト・リコといった自国支配下の地域では、アメリカは門戸開放と背馳《はいち》する差別的体制をとっていた。こうした点に当時の日本人が英米の偽善性、狡猾《こうかつ》さ、二枚舌を見出しても不思議ではない。

偽善と独善と

しかし私は、英米の偽善を暴くことには急でありながら、その批判が自己の立場への反省にではなく、むしろ自らの立場を正当化する論拠となった点に戦前日本の国際政治観の弱さを見る。日本は、英米の偽善を指摘する点で自らがより高い道徳的立場に立っていると主張した。真の平和、真の解放の唱道者は自分だと主張した。しかしその一方で、自己の国益を主張し、その立場を正当化するにあたってはきわめて無造作であった。それは一言で言って

聯盟よさらば！遂に協力の方途盡く
總會勧告書を採擇し
我が代表堂々退場す
四十二對一票、棄權一
支那側勧告受諾
第六項の權利强調
けふ閣議で正式に
脱退方針を決定
聯盟離脱の最終手續
第五項の陳述書
けふ提出に決定す

日本代表団の国際連盟からの辞去を伝える記事（「東京朝日新聞」1933年2月24日付）

独善的な態度と言えるものであった。たとえばこのことは、満洲事変の後で国際連盟下に設けられたリットン調査団の報告に対し、松岡洋右《まつおかようすけ》連盟代表が一九三三年に行った演説にはっきりと表れている。この演説で松岡は「満洲をして法律及び秩序の国たらしめ、平和及び豊潤の地たらしめ、以て単に東部アジアのみならず、全世界の幸福たらしむることは日本の希望であり、決意である」という理念を掲げる。そして松岡は「支那の無法律的国情と其の隣国への義務を承認せずして飽くまで自己の意志のみを行はんとする非望」が満洲問題の根源であると主張する。さらに松岡は、リットン調査団が提案した、満洲の国際管理案（そこでは日本が主導権をとることが認められていた）に対して、「米国人はパナマ運河地帯に斯《かか》る管理を設定することに同意するであらうか。英国人は之をエヂプトに於《おい》て許容するであらうか」と反論する。松岡は「[連盟]総会は最《も》早《はや》同地方[満洲]に於ける日本の経済的政治的必要を知悉《ちしつ》」すべきであり、「何《いず》れの国もその存立の為め到底譲歩も妥協も不可能な死活問題を持つて居る。……同問題［満洲問題］は日本国民にとつて実に生死に関する問題とされてゐるのである」と自己の立場を正当化し、報告書の受け入れを拒否したのである。(4)

日本は東アジアと世界の平和の理念を強く信じているが、中国は法を守ろうとせず、日本の理念も理解しようとしない。しかるに満洲は日本にとって死活的に重要である。したがって日本はまさにやむをえない事情から満洲国建国に動いたのであって、それのみが満洲に法と秩序を与え、日本の利益を守ることを可能にするのである。同じようなことは英米もそれぞれやっているではないか、日本だけが非難されるいわれはない、というのが松岡の言うところであった。その論理は一見、強力に見える。

満洲事変の際に松岡が述べた言葉は、松岡個人にとどまらず、戦前日本外交の基本的な論理を表現したものであった。一九三一年七月には、穏健派と見なされた若槻礼次郎《わかつきれいじろう》首相も満洲権益を「国民的生存と緊切なる関係のある権利利益」と定義し、その擁護のためには「如何《いか》なる犠牲も顧みず、敢然として決起しなければならぬ」と発言していたのである。こうした満蒙《まんもう》「特殊権益」論は要するに独善的な立場であった。高い理想を掲げつつ、自らの行動について自らが判定者となり、中国政府や国際連盟がその真情を理解しないことを非難したのである。

しかし少し深く考えれば、この論理には明らかに無理があることがわかる。それは、日本が東アジアにおける法と秩序を希求し、それが守られないのは中国政府のせいだと言いながら、日本自身の満洲権益について法的根拠を引照しなかったことに示されている。実際には日本の満洲での権益は日露戦争以降日中間で結ばれた条約、取極《とりきめ》に基づいたものであり、それは日本に旅順・大連の租借、鉄道の管理、満洲での商工業権を認める、といった内容にとどまっていた。松岡は、リットン報告書が満洲に中国の主権を形式的に認めることをもって、「支那が従前未だ嘗《かつ》て有してゐなかつた権力と勢力とを満洲に導入せんと期するもの」と非難したが、法的に満洲が中国の主権を離れたことは一度もなく、日本が中国と結んだ条約は、そのことを確認していたのである。それゆえ松岡の声明は、日本がかつてとってきた法的立場を、日本の満洲に対する必要という、いわば日本の自己都合を理由に力によって反故《ほご》にすることを示唆していた、少なくともそう受け取られても仕方のない声明であった。

その点で、松岡が日本の満洲での立場をなぞらえたプエルト・リコでのアメリカの政策やエジプトでのイギリスの政策とは同列に論ずることはできないものであった。いずれの場合も、米英の権利は条約に基づいたものであり、当時の国際法上は正当と認められた権利であったからである。もちろんそれらの条約は帝国主義時代の産物であり、弱者への圧迫に基づくものであった。しかし米英は形式的ではあっても自己の権利を法的に、客観的に、正当化

る《ママ》

した。それはきわめて緩いものではあっても国家の行動に枠をはめ、自らそれに拘束されることを表明したものであった。たしかに米英には偽善の要素はあった。しかしその偽善は日本が満洲に対して行った自己正当化に比べれば、国際社会の承認を広く受け、自己の行動に最低限の抑制を示したものであった。

これに対して、米英のような豊かで余裕のある国は法的に合理化できる程度のわずかの権益で満足したのに対し、当時の日本が弱くて切羽詰まっており、かつ満洲に対してもっていた利益ははるかに重大であったという観点から、日本と米英の政策は帝国主義であることに変わりはない、と反論することには意味がない。なぜなら国際政治において、ある国にとって重要か否か、どの程度重要かということを客観的に決めるすべはないからである。あるいは、米英が満足した大国であり、日本は貧しい発展途上国であることが日本にとっての満洲の必要性を強めるというなら、仮に中国が日本より貧しければ、満洲に対する必要は日本より中国のほうが強く、中国が満洲の主権をもつこととは別に、日本の権益を侵してまでも中国がそれを獲得することに反論できないことになる。国際政治においては必要や正義について客観的基準は存在しない以上、主観的な必要性によって正当性を訴えることは限界をもつのである。

「最低限の必要」や「死活的利益」を外交行動の根拠とする場合、その必要や利益の判定者は結局のところ自分自身ということになる。すなわちそれは、他国から見た場合、無限定的で、際限のない拡張すら可能にする論理と映るのである。実際、日本は満洲の一部の権益から満洲全体へ、さらに華北から中国全域、ひいては東南アジア・太平洋へと拡大していった。それは最初から意図されていたものではなかったかもしれない。しかし、いったん「必要」に応じて無原則に拡大する論理が認められた時、さらなる拡大を抑制する論理を見つけるのは困難である。満洲事変を使嗾《しそう》した石原莞爾《いしはらかんじ》が、日中戦争に反対したにもかかわらず、その発言が説得力をもたなかった理由はここにある。

アメリカ・イエール大学の法制史学者朝河貫一《あさかわかんいち》は日露戦争後の日米関係の悪化を見て、日本にすでに警告を発していた。外国人の眼に映る日本は、南満洲で何を実行しようとしているのか明らかでなく、その分日本に対する畏怖《いふ》と警戒心を強めさせている。

世人の眼に映ずる南満洲における日本の大方針は軍事的なりや、政治的なりや、はた経済的なりや。……世人はもとより確答を与うるあたわず、ただ日本の行為を聞き、これに、基づきて想像を運《めぐ》らすのみ。

これに対してアメリカは、門戸開放、領土保全の二大原則を中国について提唱し、それらの目標は少なくとも建前としては広く支持されている。この両者が衝突した場合どうなるであろうか。

万一不幸にして日米が東洋において衝突することあらば、裏面の真実の事情はいかにもあれ、また争乱の曲直はいずれにもせよ、表面の大義名分の必ず我にあらずして、彼にあるべきこととこれなり。(5)

日本の行為は独善的であり、アメリカは偽善的かもしれないが、両者の選択を迫られた時、第三者はよりましなほうとして後者を選ぶだろうというのである。もちろん偽善自体が望ましくないことは言うまでもない。偽善に満足することは冷笑主義《シニシズム》への道を開く。それゆえ健全な社会では、社会に責任のない者が社会の偽善を暴くことを容認し、むしろ歓迎する場合すらある。たとえば若者が大人の偽善をなじる時、それは動機の純粋性ゆえに評価されることが少なくない。あるいは文学者が社会の偽善を指摘することもそれに近い。冒頭のショウの喜劇は、イギリス人に向けて書かれた喜劇であり、和辻も指摘するように、イギリス人の観客はこれを見て自らの偽善を再確認させられて苦笑したはずである。こうした風刺は社会に責任をもち、しばしば偽善的行為に手を染めざるをえない者に反省を促し、たとえ容易には実現できないものであっても偽善を正す必要を再確認させる。そこに自己を客観化する眼があり、精神に余裕を生むのである。和辻は、余裕が風刺を生むだけでなく、風刺が余裕を生む面があることを書き漏らしている。

しかし社会的に責任がある者が自らは偽善とは縁がないかのごとく高い立場から他者の偽

善を暴き立てる時、それは正義の行為として賞賛されるよりも、無視か軽蔑《けいべつ》、場合によっては自らの下心を隠す奸計《かんけい》ではないか、という疑いすら生む。偽善の場合、少なくとも他者と「善」に関する共通理解はもっていることを前提としている。すなわち、他者の眼を意識しているのである。これに対し、独善は妥協を生み出さない。正義は我にありと信じつつ、自己の利益を追求する者ほどつき合いにくい存在はない。まして他者の偽善をあげつらって自己の独善を正当化するに至っては、いっそう扱いにくい存在である。戦前日本はまさに独善的な行動によって信用を失い、自らを追いつめていった。独善が余裕を失わしめたのである。

現在の日本との共通性

そしてある程度まで、今日の日本人の国際政治観も戦前とつながる面をもっているのではないだろうか。もちろん武力によって権益を拡張した帝国主義の時代とは性質が根本的に異なるのは確かである。しかし、国際秩序への関わり方について、高い原則を掲げながら、他者の偽善を非難し、現実に行うことは狭い自己利益を追求しているという面があることは否定できない。

言うまでもなく、戦後日本の理想は平和主義であり、武力なき平和であった。ある意味で日本はこの理想を掲げ、冷戦を批判し、自らはそれに関わらないことを誇りとすらしてきた。

こうした原則を掲げることは、戦後日本が国際社会の中で責任のない立場である間は国際的に許された、というより気にとめられなかったし、敗戦後の日本人に自信と自尊心を回復させた。

しかし次第に日本が国際社会の中で重要性を増し、同時に既存の国際秩序から受ける恩恵が大きくなるにつれ、高い理想を掲げつつも自らの利益を追求する姿勢は、世界の日本に対する苛立《いらだ》ちを強めさせる結果となった。その一例を、湾岸危機から湾岸戦争にかけての日本の対応に見出すことができる。イラクがクウェートに軍事侵攻したことで始まった湾岸危機において、日本はイラクの武力侵攻を批判した上で、問題の平和的解決を訴えた。それは誰にも文句のつけようのない、道徳的に高い立場であった。しかし、アメリカ主導下の国連によって多国籍軍が派兵されると、この軍隊は真の国連軍ではないとか、アメリカは自国の利益のために行動しているという偽善を批判する声が強まった。日本政府の多国籍軍への協力が消極的で遅かったのも、法的な制約だけでなく、むしろこうした国内の雰囲気を反映した面があった。他方で、イラク、クウェートにいた日本人の一部がイラク政府によって出国を拒否され、人質状態に置かれると、邦人の早期解放を求める世論は強まり、紛争の行く末はどうなろうとも、無関係な邦人をともかく無事に解放させることが何よりも優先された。

こうして湾岸の事態の際、日本の支配的な論調は、高い道徳的立場に立って侵略の悪と強国の偽善を非難しつつ、実際には自国の直接的な利害にだけ強い関心を示すものであった。たしかにすべての国は自国民の運命に第一義的な関心をもつ。しかし日本の場合、湾岸の事態に対して実質的に傍観者的立場をとりながら、邦人の解放のみに際立った関心を示した。もしそれが、国際政治に影響を与えない国家であれば、そうした態度をとることはやむをえないし、実害も少ないとして理解されたかもしれない。しかし当時、日本はかなりの力をもっていた。そうした国が国際紛争そのものに対する姿勢をはっきりさせず、クウェート国民を含めた他国民への配慮なく自国民の安全に突出した関心をもったことは、外から見た日本の立場を理解不可能なものとした。湾岸戦争後のクウェートによる感謝広告に日本の名前が載せられなかったのは、日本が血も汗も流さなかったからではなく、日本の独善主義に対する不満の表れと見ることができるのではないだろうか。

湾岸の事態にとどまらず、他者から見て独善的行動と見なされうる日本の行動は少なくない。たとえば日米間の貿易摩擦において、自由貿易を掲げながら輸入制限によって日本に圧力をかけてくるアメリカの偽善を暴露し、自由貿易の原則を唱える一方で、農産物等については「死活的利益」として市場開放を避けようとした。あるいは、内戦が収まった後のカンボジアに派遣された国連平和維持活動（カンボジア暫定行政機構〈UNTAC〉）に自衛隊および文民が参加した際には、自衛隊の安全確保に特段の配慮を要請し、他国の要員の犠牲には無関心でありながら日本人のボランティア、文民警察官に犠牲が出ると大量の報道がなされた。

こうした対外行動のパターンは、日本が軍事力を対外的に行使してこなかった戦後においても、完全には信用できない国であるというイメージを継続させてきた。日本は普段はおとなしいが、いったん暴れ出すと何をするかわからない国、自己中心的な国、というイメージは戦前から戦後にかけて驚くほど変化していない。一九三五年、アメリカの東アジア専門外交官マクマレーは「日本人は、表面的には感情を表さないように見えるが、実は深い憤りをひそかに育て、不意に逆上して手のつけられなくなるような国民なのだ。真の指導者と認めて忠誠を捧げている人たちによって抑制されなければ、〝とことんまで突っ走る〟性癖がある」[6]と評したし、一九七〇年代のはじめにアメリカの国際政治学者ブレジンスキーは「日本人にとっては、外の世界と有意義な関係をもつことが非常に難しく、ある程度の関係をもてたとしても、それを自己中心的な姿勢以外の態度でとらえることはきわめて難しい」[7]と指摘した。アメリカの日本研究者ケネス・パイルも九〇年代はじめに「日本がその経済力をどのように使うのかが不透明であることについての疑問」[8]としての「日本問題」の存在を指摘した。

こうした日本に対するイメージは、ある程度は日本に対する無知のなせるわざであったり、日本に対する悪意が含まれている場合もないとは言えない。しかしなお、このように長期にわたって日本に対するイメージが変わらないことには、日本の対外的行動パターンにもやはり何か問題があると考えざるをえないのではないだろうか。日本人の対外観の中に、国際政治を国益の闘争の場として捉《とら》える見方と、国際政治を理想の表明の場として捉える見方の二つが、分裂して同居していることに根本的な問題があるのではないだろうか。

二つの対外観とは次のようなものである。一方では、世界はあたかも上流階級の社交界のようなところで、そこにおいて皆から好意をもたれ、よい評判を獲得し、ひとかどのものであると見られることへの心底からの願望がある。日本国憲法に賛成する人も反対する人も、その前文にある、「国際社会において、名誉ある地位を占めたいと思ふ」という言葉を日本外交の目標としてほぼ等しく受けとめるであろう。しかしその一方では、世界は弱肉強食の世界であるというイメージがある。各国は自国の利益追求に奔走しており、他国を善意で助けようなどという国は存在しない。したがって日本も遠慮会釈なく、国益追求をして当然である。こうした対外観は特に危機に臨んだ際に表れ、「国民感情」が吹き出し、国益を守るためにはいかなる手段も使うのが政府の役割だと政府批判がなされるのである。危機ではなくとも、日本人は無意識のうちに、この二つの見方のいずれか都合のよいほうを選んで行動しているのではないだろうか。

こうした行動パターンは、狭い意味では日本にとって有利に作用するかもしれない。ある程度の利点があるからこそ、戦前から戦後へと受け継がれたのだろう。しかし長期的に見ると、独善的な行動パターンは、強固な味方をもちがたく、したがってそうした政策が国際政治においてもちうる影響力も限られ、最悪の場合、孤立に導きかねない。それは国際政治の基本構造に由来しているのである。

国際政治の構造

国際政治は、一つの共同体の中で行われる政治よりも複雑な構造をもっている。通常、我々がイメージする「政治」は、一つの社会の中で営まれる。ここで言う「社会」は、個人を基本単位とした、個人の集合として考えることができる。もちろん、個人は企業とか組合とか家族といったさまざまな集団を構成し、それらの集団もひとまとまりとして行動するけれども、社会はこれらの集団を基本単位としているわけではない。それらの集団は終局的には個人から成り立っているし、それらの集団が存在しなくても社会は考えられうるからである。その意味で、社会は個人から成り立っており、さまざまな集団は中間的、副次的な存在であるということができる。

これに対して国際政治が営まれる舞台であるはずの国際社会は、それが何によって構成されるか、あるいは基本単位は何か、というところから難問にぶつかってしまう。伝統的な考え方では、国際社会とは国家を基本単位とする社会であると考えられてきた。たとえば伝統的な国際法の考え方は、国内法が国家の内部で私人間の関係や政府と個人や法人の関係を規律するのに対し、国際法は国家と国家の間の関係を規律するものとしていた。

しかし言うまでもなく、国家もまた最終的には個人の集合体である一種の社会制度に過ぎない。国家の中には意見の対立も、権力関係も存在しており、決して一体として行動するわけではない。また、個人は国家を通じて行動することが多いけれども、時には国家を離れた個人として行動することもある。たとえば宗教指導者や知識人は時に個人の資格で国際社会で重きをなすことがある。また、国際社会においては、国家ではない主体——国連や専門機関のような国際機構や、帝国主義時代の植民地社会のように——が国家とならんで重要な存在となることも少なくない。

それでは、国家もまた、国内社会において企業や組合が二次的存在であるのと同じように二次的な存在なのだろうか。そのように考えることはできない。もし個人が基本単位であり、国家は二次的存在に過ぎないと考えるなら、それは一つの社会を成していることになり、国際社会という概念は意味をもたなくなってしまう。国際社会は、あくまで異なる共同体が併存しているという前提の上で初めて成立するのである。国家という政治的単位が複数個存在していなければ、国際社会は存在しない。

そこで国際社会においては、重層的な政治過程が営まれていると考えざるをえない。各国家内において、通常の意味での政治が営まれているのに加えて、国家間での政治と、国境を越えて相互に作用する個人や集団が営む政治が存在するのである。このような国際社会における政治は、通常の政治イメージでの個人を国家に置き換えて理解できるようなものではない、「広い政治」としての性質をもっている。

言い換えれば、国際政治は、異なる政治的空間が重なり合うことで構成された一種の複合体と捉えられるべきなのである。それは、たとえれば図1—Aのようにイメージできる。この図形をいきなり言葉で説明しようとしても困難である。それは複雑な形をなしている。しかし、少し眺めていれば、これが図1—B（次ページ）のように、三つの単純な図形——円、正三角形、正四角形——が重ねられたものであることがわかるだろう。国際政治が営まれる国際社会は、図1—Aのように複雑である。それを理解するには、図1—Bのようにその構成要素に分解した上で、その複合体として理解する必要がある。

図1—A

「国際政治」は以下の三つの位相が混ざり合ったものと捉えるこ

とができる。その三つを「主権国家体制」、「国際共同体」、「世界市民主義」と呼ぼう（いささか専門的になるが、国際政治学や国際関係論の知識のある人には、現実主義 realism、自由主義 liberalism、グローバリズム globalism といったアメリカの学界で一般的な分類や、ホッブズ的伝統、グロティウス的伝統、カント的伝統といったいわゆるイギリス学派の分類のほうがなじみがあるかもしれない。もちろん私の三分類はこれらの分類に影響を

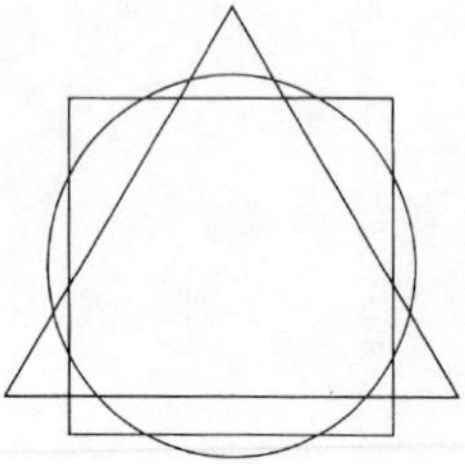

図1−B

受けているが、ここであえて別の用語を用いたのは、特に奇をてらったわけではなく、通常の用語法にいささか曖昧《あいまい》でしっくりしない感じを受けるからである。この点についてこれ以上ここで説明することはしないが、これらの用語に通じている読者は、私の分類が米英の分類とまったく同じではないことに留意してほしい）。

「主権国家体制（system of sovereign states）」という位相は、近代ヨーロッパに成立し、次第に世界を覆うようになった国際社会像である。それは、一六四八年に三十年戦争を終えるために結ばれたウェストファリア条約によって形を取りはじめたために、「ウェストファリア・システム」などと呼ばれることもある。この位相は、（1）主権国家が国際政治の唯一の基本単位である、（2）主権は不可分かつ不可譲であり、国内社会では至高の存在であり、

互いに対等である、（3）個人の自由は自らが同意する主権国家をもつことで実現される、といった考え方を骨子としている。

国内社会にはさまざまな集団が存在し、かつ通常は上位の統治組織としての国家があるのに対して、「主権国家体制」の位相では中間的な組織は主権国家の同意でしか行動できない、付随的な存在に過ぎず、もちろん、主権国家の上位にある権威も存在しない。その意味で国際社会は「アナキー（an-archy＝支配なき状態）」であると考えられる。

しかし、この「諸国家の社会」に、秩序がまったくないわけではない。主権国家は原則として自国の生存と主権を安定させるためにも相互的に他国の生存と主権を認める。そのために、相互の生存や決定的価値を脅かさず、条約のような自発的約束は守るといった最低限の法や慣習は認められる。その意味で、「諸国家からなる社会」は、共存という最低限の価値を共有し、また意識的にその段階にとどまっている「社会」なのである。

とはいえ、このような主権国家からなる「諸国家の社会」は概念的な構築物に過ぎない。現実には国境を越えたさまざまなつながり、ネットワークが存在する。こうしたネットワークを通じて、国境を越えた利益や価値が意識されるようになってきた。そうした位相が「国際共同体（international community）」をなしている。「主権国家体制」と同じように、この位相においても、国際社会の基本単位は国家である。しかしこの時の国家は絶対的な意味での主権をもつ存在ではなく、他のさまざまな社会集団とは相対的な差しかもたない、一つの社会集団である。つまり、「国際共同体」のイメージは、（1）主権国家は国際政治の基本単位だが唯一の主体ではなく、国際機構、社会集団や個人も一定の範囲で国際政治の主体たりうる、（2）主権は少なくとも部分的に分割、委譲可能である、（3）国際社会の諸アクターは一定の価値、目的を共有しうる、と考える点に特徴があるのである。

「国際共同体」の核心は、その構成員たる諸国家とその他の主体が、一定の価値ないし問題意識を共有し、その実現を図る共同体をなしているという感覚にある。その感覚は十分に強いものとならないことが多いけれども、それでもなお一定の範囲で存在しうる。たとえば富の公平な分配であるとか、地球資源の公平な利用であるとか、そういった一定の価値ないし問題意識を共有する共同体としての性格をもつのである。

しかし、「国際共同体」における「価値の共有」というイメージを徹底していくと、結局は国家を構成する個人のレベルにおける価値の共有が望ましい、という考え方に帰着する。そこに第三の位相として、「世界市民主義（cosmopolitanism）」が登場する。これは（1）国際社会においても基本単位は個人である、（2）国家は擬制に過ぎず、個人は世界に帰属する、（3）平和は世界の（政治的、社会的、精神的）統一によって達成される、といった内容を骨子とする考え方である。

この「世界市民主義」的な考え方は、さまざまな形をとりながらも、政治思想の一つの潮流として連綿と存在してきた。しかし、少なくとも過去のそれは、あくまで国家からなる秩序を批判する一つの思想運動、方向性であり、現実の政治の姿ではなかった。もしこうした世界市民主義が現実のものとなれば、それは一つの社会を構成するのであり、国際社会は国内社会に転化してしまうことになる。世界市民主義は、歴史的には、国際社会の現状を批判するアンチテーゼであり、しかもそうでありながら「国際共同体」のイメージを強化するという矛盾した役割を担ってきたのである。

国際政治のトリレンマ

これらの「主権国家体制」、「国際共同体」、「世界市民主義」という三つの位相は、それぞれ異なる政治行動を要求する。「主権国家体制」という観点からは、国家が相互に主権を尊重し、互いの内政に干渉すべきでないという規範が生まれる。「国際共同体」という観点からは、国家間の協力を増進すべきであるという規範が生まれる。「世界市民主義」という観点からは、国家を脱却して、世界の統一に向かうべきという規範が生まれる。これら三つの規範は、それぞれ単独で見れば、得心のいく考え方である。しかし現実の国際政治にはこれら三つの規範が入り交じっている。二つの矛盾する首尾一貫した論理の間で選択を迫られることをジレンマ（二律背反）というが、国際政治はトリレンマ（三律背反）としての性格をもっている。国際政治を理解し、その中で行動することとは、この抜け出しがたいトリレンマの存在を確認した上で、最善の政策を選択していく作業にほかならない。

この時に独善的外交と偽善的外交の差が出てくる。前者には、このトリレンマの認識が存在しない。しばしば「世界市民主義」的な理想を無批判に掲げる一方で、「主権国家体制」を現実認識として行動し、国際政治の「国際共同体」としての側面を軽視する。これに対して偽善的な態度は、少なくとも倫理的トリレンマの存在を意識した上で行動する。「主権国家体制」の中の一国としての国益追求と、他国との価値観の共有範囲を広げて「国際共同体」を強める努力との間にジレンマが厳然として存在すること、さらに「世界市民主義」が究極の理想として尊重されねばならないが、安易にその理想を国際政治の場に持ち出すことにともなう危険も意識されうるのである。

したがって国際政治においてとられるべき行動について、倫理的に安易な選択は存在しない。国際政治の大半は、自己の国益を守ることと世界的な公共利益のために行動するという二つの要請の間で、いかに妥協を図るかという点につきるからである。責任ある行動をとる国家は、自国も含めた国家が、国益を離れて行動できるとは考えていない。しかしまた、責任ある国家は、自国の国益の擁護だけを考えて行動できないというのも事実なのである。こうして一定の影響力をもつ国家の行動は、妥協を含み、しばしば偽善的と映ることになる。しかしあえて言えば、それが国際政治を生きるということなのである。

このように、国際政治の基本的な性質が通常の政治と異なっていることが、まず理解されねばならない。しかしそれは「国際政治とは何か」という問いかけに対して、表面的に答えただけに過ぎない。その問いに、より十全に答えるために、次に国際政治という概念がどのように生まれ、変化してきたかを分析しよう。

引用・参考文献

(1) 近衛文麿『清談録』千倉書房、一九三六年

(2)『和辻哲郎全集』第一七巻、岩波書店、一九六三年。なお、本章冒頭のショウの引用は、この「アメリカの国民性」に掲げられているものに適宜手を加えた。

(3) ジョージ・F・ケナン、近藤晋一・飯田藤次・有賀貞訳『アメリカ外交五〇年』岩波書店、一九八六年

(4) 外務省編纂『日本外交年表竝主要文書』下巻、原書房、一九六六年

(5) 朝河貫一『日本の禍機』講談社学術文庫、一九八七年

(6) アーサー・ウォルドロン編著、衣川宏訳『平和はいかに失われたか』原書房、一九九七年

（7）ズビグネフ・ブレジンスキー、大朏人一訳『ひよわな花・日本』サイマル出版会、一九七二年
（8）ケネス・パイル、加藤幹雄訳『日本への疑問』サイマル出版会、一九九五年

第一章　国際政治の来歴

16世紀フィレンツェの
文人官僚マキャベリ

1 近代ヨーロッパと国際政治の「原型」

メルカトルの時代

今日の我々が考える「政治」やそれに関連した概念は、近代ヨーロッパに端を発している。つまり、十六世紀から二十世紀初頭までの間（本書ではこの期間を近代と呼ぶことにする）に、「政治」や「国家」、「主権」といった概念が、ヨーロッパから世界へと広まったのである。いわば近代は政治概念の非常な発達をみたわけだが、それとは裏腹に、この時期には「国際政治」という概念は存在しなかった。それはなぜだろうか。シャーロック・ホームズが「犬はなぜ吠えなかったのか」から推理を働かせていったように、「国際政治」はなぜ意識されなかったかを問うことが、国際政治の性質を理解する鍵になるのではないだろうか。この問いは、イギリスの国際政治学者マーチン・ワイトが四〇年ほど前に「なぜ国際関係には政治理論に相当する理論は存在しないのか」という挑戦的な形で発したものだが[1]、その後深く探求されてこなかった。近代において、「政治」が大きな比重をもつ一方で、「国際政治」が不在だったのはなぜだったのか。

この問いに答えるためには、近代ヨーロッパの知的底流といったものに踏み込む必要があるだろう。近代ヨーロッパにおいて生じた基本的な精神的変革が、「政治」を生み出したからである。

近代ヨーロッパ精神の核心は、何よりもまず、自然を対象化し、その秘密を知り、技術（テクノロジー）によって人間に住みよい世界に作りかえる無限の探求である。人間が本格的に技術を用いた自然の作りかえに従事するようになるのは十八世紀の産業革命が始まってからだが、すでにその精神は近代の初頭において生まれていた。今日ではよく知られるようになったが、近代初頭にヨーロッパにあった科学的知識や技術の少なくない部分は、非ヨーロッパ世界から入ってきたものであった。しかし非ヨーロッパ世界と近代ヨーロッパが決定的に異なっていたのは、科学と技術を結びつけ、さらにそれを人間の精神の奥底と結びついた無限の探求心に結びつけた点であった。

このような近代精神を端的に表現するのは、近代の地理的世界観である。なかでもその代表は、メルカトルの地図であった。メルカトルは十六世紀のオランダの印刷技術者であり、地図製作者であったが、彼の地図帳と地球儀ほど、近代ヨーロッパを代表させるにふさわしい発明品は多くはない(2)。彼は、一世紀ほど前に始まっていたヨーロッパ人の探検の成果を総括しただけでなく、それを独創的な投影法によって世界地図に表現した。その投影法は、船が進む航程線を、出発地と目的地を結んだ直線で描くことができるというかつてない利点をもっていたのである。この地図は、陸を隔てる障壁として海を捉えるそれまでの考え方から、無限の探求の可能性を秘めた扉として海を捉える近代の大きな転換を象徴していた。

言うまでもなく地図に代表される知の構造は、権力や支配と無縁ではなく、むしろ深く結びついている。地図学者スティーヴン・ホールが言うように、「地図というのはすべて、なんらかの搾取の前触れなのである」。商人も宣教師も探検家も、富や布教の機会や名声を求めて地図に従った。メルカトルの地図は、無限の好奇心と支配欲を内包した科学技術の象徴であった。それを生み出し、それに動かされた近代ヨーロッパ人は、探求心と欲望によって世界と結びついていた。これらの動機が、ヨーロッパ人をヨーロッパ外へと向かわせ、地球規模の交流ネットワークをつくらせたものであった。

メルカトルの地図に凝縮された近代的人間の登場は、中世ヨーロッパの社会秩序の枠組みを大いに揺るがすことになった。中世ヨーロッパは、建前においてはローマ教皇と神聖ローマ皇帝の権威がヨーロッパ全体に受け入れられながら、現実には諸侯、都市などが混在する社会であった。非ヨーロッパ世界との接触が増すにつれて、社会は激しく動揺し、さまざまな権威と権力が入り乱れて闘争するようになった。中世末期から近代にかけてヨーロッパで猖獗《しょうけつ》した魔女狩り、宗教戦争、内戦は、中世的秩序の混乱の最終段階と見なすことができる。

こうした混乱の中から、新しい政治秩序を願う心情が生まれてきたのは自然なことだったろう。しかし近代ヨーロッパに特徴的だったのは、新しいものへの希求が古代の理想の復活という観念と結びついていたということである。

オルテリウス「世界図」 1600年頃出版の世界図。アブラハム・オルテリウスはメルカトルと同時代のアントワープの出版業者であり、当時の最新の知識と技術を集めた地図を制作して好評を博した。（慶應義塾大学図書館蔵）

十一世紀頃から中世ヨーロッパはイスラム社会との接触等を通じて、それまで失われていた古代ギリシャ、ローマの知識を再発見した。こうした再発見はキリスト教以前の文明の発見によって教会の権威を揺るがしただけでなく、新しい時代を表現する基本的な語彙《ごい》や観念を与えたのである。

近代初頭における、近代精神と古代の復活の結びつきは、メルカトルが普及させた地図帳を「アトラス」と名づけたことにも示されている。言うまでもなく、アトラスは球形の地球を西の端で支えたギリシャ神話中の巨人であり、その名を地図帳につけたことは、近代精神の古代への畏敬と同時に、神に代わって人間が主人となった新しい時代を示してもいた。

近代的な意味での「政治」もまた、新しい精神と古い理想の復活の結びつきから生まれてきた。言うまでもなく、近代の政治（politics）の語源は、古代ギリシャの都市国家ポリス（polis）にある。近代において政治とは何よりも、混乱した中世社会に対して統一のモデルとしてのポリスの精神を復興することだった。近代の初期において政治を説いた著作家たちは、名目化しつつある中世秩序の教皇や皇帝の普遍的権威を否定し、古代都市国家の影を追いながら、強い凝集性をもつ共同体としての政体（body politic）を構築し、そこに安定した秩序がもたらされることを期待していたのである。

たとえば、近代的な「政治」概念を初めて示したとされる十六世紀フィレンツェの文人官僚マキャベリの著作は、外部からの干渉を排除し、統一した共同体を構築する道を古代都市国家の精神の中に見つけようとした痛切な探求に満ちている。彼の時代のイタリアは混乱を極めていた。外からは、政争の具と化した教皇や神聖ローマ皇帝の権威を利用して、イタリア内の都市国家と結びついたフランスやスペインの介入があり、内にはキリスト教会の腐敗とそれへの反撥《はんぱつ》がもたらす不寛容があった。こうした時代にあって、マキャベリは、外国勢力を排除し、宗教的権威と現世秩序とを分離して、統一された政治体としての国家が建設されることを望んだのである。彼の有名な『君主論』は、この国家を創設する担い手としての強力な指導者への期待を表明したものであった。「君主というものは、とくに新君主のばあいは、国を維持するために、信義に反したり、慈悲に反したり、人間味に反したり、宗教に反した行動にたびたび出なくてはならない」。「君主は、ただ戦いに打ち勝ち、またひたすら国を維持してほしい」とマキャベリは願う[3]。しかし、マキャベリは単純に強力な指導者を求める英雄待望論を唱えたわけではない。彼が求めたのは、中世的な秩序の基礎をなす神聖ローマ皇帝やローマ教皇の権威を排し、平和と安定を実現しうる政治秩序を正当化する新しい根拠であった。彼は中世的秩序の淵源《えんげん》を帝政ローマに見出した。彼にとってはカエサルこそが一切の悪の根源であった。ローマの帝国化はローマの衰退の始まり、真の古代精神の喪失を意味していたのである。

マキャベリは、帝政ローマから中世に至る普遍的な秩序への希求こそが、現実には統治の力をもたない権威同士の果てしない争いを生み、社会を混乱させる原因となったと考えた。そこで彼は古代の都市国家の理想をよみがえらせようとしたのである。古代都市国家ポリスに連なる近代の「政治」は何よりも、普遍的な秩序を否定するところに出発点があった。近代初期において国家間の、あるいは国境を越えた人々の相互交流がなかったわけではない。むしろその活動が活潑化し、中世的権威では制御しきれなくなったために、内的統一をもつ、近代的な「国家」が生まれてきたのである。したがってそこでは、国家を越える政治、国家間の政治は意識されなかっただけでなく、むしろ積極的に否定されたのであった。国家間に、あるいは国境を越える空間に「政治」はあってはならないと考えられたのである。なぜならそうした空間で政治を語ることは、中世的な普遍的権威を復活させ、「政治」の空間としての国家の完結性を損ない、新たな混乱を招きかねないと恐れられたからである。「国際政治」を禁忌《タブー》とすることが、近代の「政治」が生み出される前提条件だったのである。

ギリシャとローマと

しかしもちろん、マキャベリが住んでいた世界は、彼が理想化した古代ではなく、近代的精神が普及しはじめた時代、メルカトルの時代であった。そこで彼が政治における実践を考えれば考えるほど、彼の議論は古代の政治論とは異なる性格をもつものとなった。彼は統一体としての政治体を構築できるのは強力な指導者しかないと考え、そうした指導者がもつべき力をヴィルトゥ（virtù）と呼んだが、この言葉ほどマキャベリのジレンマを示す言葉はないだろう。この言葉は、古代における最高の政治的価値である、「徳（virtue）」に由来するものであった。古代では、「徳」の実現こそ、人間が共同体を営む基本的な目標であった。しかし近代においては、有徳の共同体を創出するためには、指導者は外部からの影響力を排除して自律的な政治共同体を構築するところから始めなければならない。その時指導者は古代の有徳性を捨て、まったく異なる倫理に基づいて行動せねばならなくなる。それは共同体の生存のため、道徳に反する権謀術数をもあえて引き受ける精神である。「君主は、野獣と人間とをたくみに使いわけることが必要である」(『君主論』)という有名な文句はマキャベリの政治論の本質を表現している。君主とは、半身は人間でありながら、そして人間が人間らしく生きる場としての政治体を創設することを期しながら、他の半身は野獣であり、共同体の統一と独立維持のために人間的倫理を踏み越える存在なのである。この二重性こそが、近代における政治倫理の宿命であった。

しかしマキャベリの二重倫理のあまりにも直截《ちょくせつ》な提示は、当時のヨーロッパ人にとっても衝撃であり、そのまま受けとめるには過酷すぎるものであった。そこでマキャベリ以降の政治思想のかなりの部分が、その政治倫理の二重性をいかに緩和するかという点に関心を寄せたのである。そこでよく用いられたのはローマ帝国に源流をもつさまざまな概念装置を忍び込ませることであった。

このことの説明を進める前に、ギリシャとローマとは、古代都市国家としての共通性をもちつつも、両者の間に大きな違いも存していたことを説明しておく必要があろう。ギリシャのポリスは、何よりもそのきわめて強い精神的統一に特徴があった。アリストテレスの有名な「人間はポリス的動物である」という言葉は、まさにその表現であった。この言葉は、ポリスの運営に進んで参加して初めて人間は人間たりうるということを意味していた。それ以外の人間は野蛮人であり、本質的には動物と異ならない存在とすら見なされたのである。その意味でポリスの理想は、政治への参与、特に言論によって参与し、共同体のために戦う義務を引き受けることこそ人間の真の自己実現の場であると捉えられていたのである。

これに対して、ローマの都市国家（civitas）は、人間の自己実現としての政治への参与という観念をギリシャほど絶対視していなかった。ローマでは、すぐれた統治を行うこと、つまり技術としての政治への関心が早くからもたれていたようである。その中核は「インペリウム（imperium）」という概念であった。それは最初、軍隊に対する命令権を意味していたが、やがて統治権であるとか、統治の及ぶ領域であるとかを指すようになり、ついには支配圏の及ぶ範囲としての「帝国」を意味するようになった。ローマの共和政は、その構成員が兵役の義務をもつという点ではギリシャのポリスと同じく「戦士共同体」ではあったが、しかしインペリウムを誰かに委ねること、またそれを委ねるにあたって複数の権力を相互に張り合わせる「混合政体」の仕組みをもったことによって、ギリシャのポリスとは異なる特質を獲得した。インペリウムの概念はギリシャ世界では受け入れられなかった概念であり、その実践的な柔軟性にこそ意味があった。それこそが、ギリシャ都市国家が比較的短期間に衰えたのに対し、ローマを地中海の覇者に押し上げ、その支配を長期にわたらせた、いわば

「支配の天才」としてのローマの本質であった。[4] この概念によって、ローマは都市国家としての性質を残しながら、かなりの開放性、柔軟性をもつことができ、やがて都市国家から帝政へと変質していくことすら可能になったのだった。

ギリシャのポリスでは公的空間への参加を意味する徳（virtue）の重要性が圧倒的に高かったのに対し、ローマでは市民の私的世界での自由（libertas）にもある程度の価値を認めていた。ギリシャにおいては人間は公的世界においてのみ真の人間でありえたが、ローマにあっては、公的なものが優先されはしたが、私的世界も一定の意義を与えられた。ギリシャでは公的空間としてのポリスしかなかったのに対して、ローマでは、社会と国家の区別が認められていたのである。

近代ヨーロッパの政治理論家たちは、ギリシャの政治哲学に刺戟《しげき》を受けながらも、その概念、思考法は常にローマ的なるものに引き寄せられていった。そしてローマ的思考法こそが、中世の普遍的権威を否定した上で成立する自己完結的な政治体同士の間に、最低限の秩序をもたらすことを許したのである。それはローマが得意とした「法」や、ギリシャからローマ世界が引き継いだストア哲学の基本概念である「理性」とか「自然」といった概念によって表現された。そこに、「国際政治」なき時代の「国際政治」、言い換えれば、「国際政治」の「原型」とも言うべき独特の秩序空間が成立したのである。

国際法と国家理性

たとえば、主権（sovereignty）という概念も、政治体を法的に表現したものである。それは政治支配の根拠をマキャベリのように「実力」に求めるのではなく、法によって正当化しようとしたものであった。十六世紀フランスのボーダンや十七世紀イギリスのホッブズといった主権概念の発明者たちは、主権者の支配を力ではなく法的権威によって正当化することを主張した。「法」こそは、近代ヨーロッパがローマから受け継ぎ、なじみのある観念だった。ただし彼らはマキャベリと同様、普遍的権威から独立した政治体の設立を主たる関心の対象としており、政治体同士の関係、主権者同士の関係は彼らにとって主要な関心ではなかった。

しかし政治体を法的に表現するという道をとることで、主権国家同士の関係についても法という契機を導入する余地が生まれてきた。たとえばボーダンは、主権者は実定法《じっていほう》について最終的権威であって、他の誰の命令にも従わないとしたけれども、主権者も「神の法と自然法」という超越的な権威には従うと考えていた。ボーダン以上に主権者間の秩序に関心をもつ人々は、ローマ法の万民法（jus gentium）という概念に着目した。そもそも万民法は、ローマ帝国全体に適用される普遍的な法であった。しかし近代の国際法学者は、万民法を、主権者の間の関係を律する法（「国際法の父」とされるグロティウスによれば inter civitates の法）として扱い、主権国家間に最低限の法秩序をもたらそうとした。

法学者たちが発達させた国際法に対して、政治家たちの間で広まったのは国家理性論（raison d'État）であった。これは、為政者が国家の生存と福利を追求するために従うべき準則として唱えられた。一つの政治体としての国家にも、個人と同じように理性が備わっているのであり、個人の理性が個人に何を欲してよく、何を欲してはならないかを教えるように、国家の理性も国家が何を欲してよく、何を欲すべきではないかを教えるのだ、という説であった。すべての人間には「理性」が内在し、それに耳を傾けるべきだという考え方はストア哲学に由来し、それが国家間の関係を調整する原理として提示されたのである。「国家理性」という言葉はマキャベリの同時代人グイッチャルディーニが最初に用い、十六世紀後半から次第に発達し、十七世紀前半にフランスでリシュリューに助言したロアン公の「諸国家の諸利害説」という形でまとめられた。ロアン公によれば、「君主は人民に号令し、利害が君主に命令する」。「君主といえども欺《だま》されることがあり、その顧問官は買収されることがあるけれども、利害だけは決して欠けていることがない。このような利害がよく理解されるか悪く理解されるかによって、それは国家の存亡を決するのである」(5)。一つの国家の利害は多様であるし、将来のどの程度先を見通すかによっても利害の計算は変わってくる。その利害を決定する要因となるのは、自国にとって何が望ましいかという問いよりも、他国との関係においてどの利害を追求することが実現可能であり、自己の生存を危うくしないかという問いであり、それを正しく認識することの必要性を国家理性論は説くのである。

国際法や国家理性論は、普遍的な権威を脱して複数の自律的な国家が併存する近代ヨーロッパにおいて、国家の上位に立つ権威的存在を認めることなく、しかも国家間の関係を弱肉強食の関係に陥らせないためのいわば便法であった。これに、イタリア都市国家から受け継がれた外交制度もつけ加えることができよう。いずれにせよこの時代には、普遍的な権威を否定することが政治的思考の最大の眼目であったがゆえに、共存（それは一定の範囲での戦争すら含んでいた）以上の価値を国家が共有することを否定する「主権国家体制」こそが主導的な原理となった。もちろん現実に主権者の間に相互作用があり、人々の間に国境を越えた交流がある以上、国家間にある程度の秩序を求める感情は常に存在した。しかし、先の便法を支えていたのは主権者同士の姻戚《いんせき》関係や、貴族的、商業的、宗教的紐帯《ちゆうたい》といった中世的な秩序の残滓《ざんし》であり、それらが「国際共同体」に近い性質をもたらしていたのである。そしてメルカトルの地図に従って、地球規模で行動した商人や宣教師たちが、主権国家とは離れたところで「世界市民主義」を体現していたのだった。

こうして十六世紀頃から十八世紀頃までのヨーロッパにおいて次のような構造が成立した。

一定の領域を支配する主権国家が確立し、その中で強固な政治秩序が形成され、その外側にはっきりとした秩序はもたないがある程度の共存の原理をもつ主権国家間関係が存在し、さらにその外にはヨーロッパを越えてヨーロッパ外と結びつく地球世界があるという階層化された三重構造である（図2参照）。混乱を招いた中世的秩序の記憶が薄れるまで、国家間関係にはっきりとした秩序を意識することは避けられたが、こうした構造が「国際政治」の「原型」をなしていたのである。

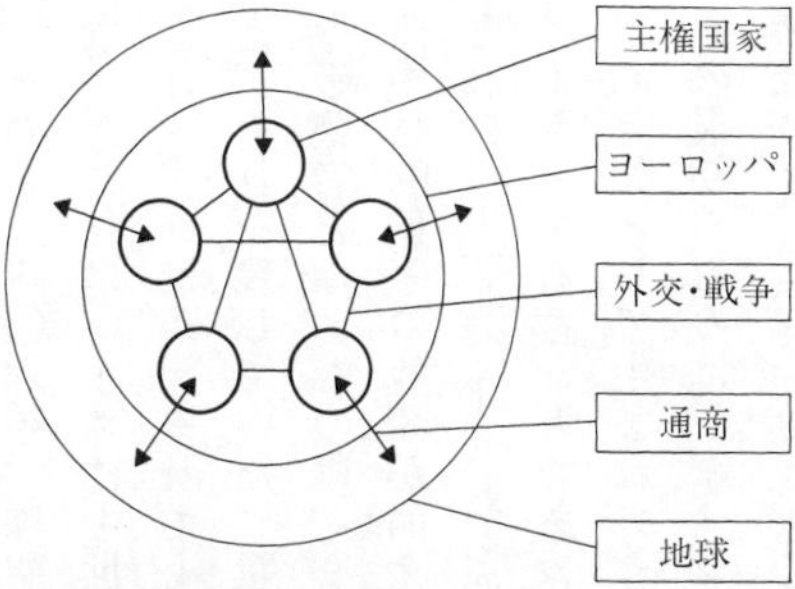

図2　近代世界のイメージ

「社会」の擡頭

しかし十八世紀の後半から十九世紀にかけて大きな転換が訪れた。十八世紀中頃、ドイツの国際法学者クリスチャン・ヴォルフは、国際法の根拠としてヨーロッパに理念的に存在する「大共和国（civitas maxima）」を挙げ、中世の記憶を残していた。これに対し、スイスのエメリヒ・デ・ヴァッテルはヴォルフを深く尊敬しながらも、「大共和国」の概念を否定し、ヨーロッパを主権国家からなる特殊な「ある種の共和国」と呼び、国際法の基礎は主権国家にあるとした。

その後一八〇六年、神聖ローマ皇帝の座が最終的に廃されて、ナポレオンが新たな皇帝となったことは、まさに中世の記憶の清算を象徴していた。皇帝の権威はもはや表面的なものとなっていたが、それでも十八世紀まではヨーロッパの強国は皇帝の権威を利用できると考え、それを残していた。新しいヨーロッパ精神を体現したナポレオンが中世的権威の最終的な破壊者となったのは、まことにふさわしいことであった。

中世的秩序の残滓が消えるにつれて、政治秩序は新しい基礎の上に築かれることになった。それは「人間」、すなわち個人から出発し、個人の集まりとしての社会に政治秩序を基礎づけようとする考え方であった。もちろん、個人を社会的思考の基礎におく考え方は、十八世紀に突如として生まれてきたわけではない。この考え方もまた、古代に源流をもっている。その最初のものは、ギリシャの都市国家が次第に崩壊に向かっていく時代に唱えられた「世界市民」(コスモポリタン)という概念であるといえよう。この言葉を発明したとされるシノペのディオゲネスは、コスモス(宇宙)をポリス(住処《すみか》)とする人間という意味でこれを用いた。しかしディオゲネスの哲学の主眼は、積極的に宇宙を住処とするというよりも、ポリスの制約を抜け出た、何ものにも囚《とら》われない人間という性格を強調するものであった。

その後、「世界市民主義」はストア哲学やキリスト教思想によってもう少し積極的な意義を与えられ、ローマ帝国や中世の普遍的権威を支えた。さらに、中世的権威が崩壊する近代初期に、世界市民主義は個人主義という形で再定義されることになった。十九世紀のルネッサンス史家ブルクハルトが述べるように、「中世においては、意識の両面――外界に向かう面と人間自身の内部に向かう面――は、一つの共通のヴェールの下で夢みているか、なかば目ざめている状態であった。……人間は自己を、種族、国民、党派、団体、家族として、あるいはそのほか何らかの一般的なものの形でだけ、認識していた」。「イタリアではじめて、このヴェールが風の中に吹き払われる。国家および一般にこの世のあらゆる事物の客観的な考察と処理が目ざめる。さらにそれとならんで主観的なものも力いっぱいに立ちあがる。人間が精神的な個人となり、自己を個人として認識するようになったのである(6)。

近代のこの個人主義は、デカルトの「我思う、ゆえに我あり」という言葉に示されるように、人間を世界や神との関係ではなく、自我意識との関係で定義している。そしてこの自我意識をもつ人間は、自我とは何かを問い、その答えを求めて世界を無限に探求していく存在であり、メルカトルの地図を生み出し、それによって世界に拡張していく存在である。こうした拡張への熱情は、支配欲や物欲、宗教的熱情といったさまざまな情念と同時に、世界を知ることで自己の本質の秘密を解き明かしたいという自己懐疑をともなっていた。

そして十八世紀の中頃に、近代個人主義は新しい段階に至ったのである。中世的世界観を完全に脱したヨーロッパ人は、人間こそが人事と自然の主人であるとの考えをすべての思考の前提に置いた。近代人は世界を知るだけでなく、それを自らに好ましいように作りかえ、自己を満足させることを求めはじめた。こうした活動は自然を作りかえる産業革命をもたらすと同時に、人間社会についての一連の思想を生み出した。重農主義者や啓蒙主義者と呼ばれる一連の思想家は、自由な個人からなる社会という仮定から出発して、国家や政治を社会的効用という観点から基礎づけようとしたのである。言い換えれば、「社会」の観点から見て正当化しうるか否かが、よき「国家」、よき「政治」の判定基準となった。そこからさまざまな理論、たとえば社会契約説、経済学、人権思想などが生まれてきた。

権力政治の浮上

この新しい社会思想の潮流は、主権国家、国家間関係、地球世界という近代ヨーロッパ世界の三層構造を次第に崩していくことになった。まず、国家の構造が変化した。国家は、軍事力と徴税能力を握って一定の領域を君主が支配する領域国家から、社会の承認の下に支配者が統治を行う国民国家へと変貌を遂げることになった。国民こそが主権者であるという考え方が生まれてきた。こうした変化は、北アメリカとフランスにおいて政治革命をもたらしたし、十九世紀にはヨーロッパにおいてドイツやイタリアの民族的統一を促す力となった。

国家が社会にその基礎を置く国民国家へと次第に変貌したことは、国家間の関係にも変化を与えることになった。君主の間で安易に行われた領土のやりとりが行われなくなる一方で、一つの国民が国家をもつという観念は闘争を非妥協的で激しいものとした。そして社会思想家たちは、かつて主権国家間の共存を可能にしていた諸原理を、曖昧で根拠の薄いものと判断し、より強固な国際秩序を構築しようとした。国家間の血縁的、文化的紐帯や、自然法思想に基づく国際法、国家理性論といった要素の影響力は低下し、逆に国民国家同士の関係を知的に把握しようという動きが強まった。そのことは、この時期にイギリスのエドマンド・バークが英語で初めて diplomacy を「外交」を指す言葉として用い、「国際（international）」という言葉がイギリスの法学者ベンサムによって、また「国家体系（Staatensystem）」という言葉がドイツのヘーレンによって発明されたことに示される。

このような国家間関係の知的な把握は、おおむね国際秩序をかつてよりも強固にしようという意図から出たものであった。しかし実際には皮肉にも、国家間関係に以前よりも激しい闘争の契機をもちこむことになった。たとえば国際法を自然法から実定法に基礎づけることは、国際法の数を増やし、自然法思想にともなう曖昧さを排除したけれども、逆に実定法の根拠としての主権と国際法の関係に矛盾をもちこんだ。自然法的国際法では、正しい戦争とそうでない戦争を区別する正戦論が維持されていたが、国際法の実定法化が進んだ十九世紀には、主権者が行う戦争に正戦かそうでないかの区別はつけられないという「無差別戦争観」が一般的になった。

のみならず、国家間に共通の価値が存在し、その関係をより秩序づけようとする努力そのものが、そこに以前よりも激しい権力闘争の根拠をもたらした。そのことは国家理性論が衰退し、代わって権力政治という概念が擡頭《たいとう》したことに見ることができる。マイネッケによれば、軍国主義、国民主義、資本主義の伸張が国家理性論がもっていた国家行動に対する制約を突き破った。「これらの力こそは、大国家を初めて未曾有《みぞう》の高さの権力や能力に導いたが、それによって、最後には、以前の時代のもっと控え目な権力手段をもって働く国家理性にとっては、いまだ存在しなかったような欲望を呼びさましたのである」。

十九世紀のある時期から、特にドイツにおいて「権力政治」という言葉が使われはじめたが、それは国家が国際関係において権力の拡張を図るのは倫理的に正しいという考え方に基づいていた。いささか意外ではあるが、十八世紀までのヨーロッパ主権国家体制においては権力政治という観点は存在しなかった。国家間の関係に政治は存在しないと考えられていたからである。十九世紀になって権力政治という観点がとられるようになったのは、国家間関係が価値の闘争の場としての性格をもちはじめたことを意味していたのであり、それは国際政治が意識されるようになる前段階を意味していた。

さらに、十九世紀にはヨーロッパと非ヨーロッパ世界との関係も変化しはじめた。それまでは、ヨーロッパ人の非ヨーロッパ世界での活動は基本的に私的領域の活動であり、国家が直接に関与するものではなかった。アジアへの進出はしばしば交易会社に委ねられ、政府の支援は間接的なものだったし、アメリカ大陸の移民社会は本国の政治とは切り離されて考えられていた。しかし、たとえば十八世紀の啓蒙思想家ディドロが「私は、自分よりも私の家族に、私の家族よりも私の国に、私の国よりも人類に愛着を感じる」と述べたように、啓蒙思想がもつ「世界市民主義」の志向は、西洋と非西洋の区別を相対化していくことになった。現にアメリカ大陸では、アメリカ革命以来、植民地社会が独立して国家をもつようになった。こうした新興国の力は弱く、国際政治を動かす存在ではなかったけれども、国際政治は次第にヨーロッパに限定されないものとなった。他面で、十九世紀の半ばからヨーロッパ諸国の政府が直接にアジア、アフリカでの植民地の獲得に乗り出し、植民地を国家の中に組み込むようになった。十九世紀の後半が「帝国主義の時代」と呼ばれるのは、ヨーロッパの拡張のゆえではなく（それは以前より行われていた）、そこに政治支配を打ち立てようという動機が一般化したためであった。

こうして十九世紀の後半には、主権国家―国家間関係―地球世界という三層構造は国民国家―権力政治―帝国主義という新たな政治秩序へと置き換えられていった。しかしそれは、世界大の国際政治が登場する段階への中継点に過ぎなかったのである。

2　地球時代と国際政治意識の登場

メートル法と標準時の時代

「国際政治」という言葉が使われるようになるのは、おおよそ十九世紀末から二十世紀初頭である。そして近代における「政治」の擡頭が、メルカトルの地図に象徴される近代知の形成を背景としていたように、「国際政治」が意識されるようになった背景にも、産業革命にともなうテクノロジーの発達がもたらしたこの時期の世界像の変革が作用していたのである。

作家ジュール・ヴェルヌが有名な『八十日間世界一周』を書いたのは一八七三年のことであった。この書物は、大航海時代のような超人的な冒険家ではない普通の人間が、しかも日常的な習慣を維持したままで、地球のすみずみまでを訪れることができることを人々に気づかせた。この頃に生まれたらしい、地球散歩者（globetrotter）という言葉にもこの感覚をみることができよう。ヴェルヌがこの著作を書いたきっかけは、その直前に八〇日間を少し超えるくらいで実際に世界一周がなされたことの報道だったとされている。冒険家ではなく、主人公フォッグ氏のような紳士がこのような世界旅行を行えるようになった理由は言うまでもなく、交通・通信手段の発達である。蒸気船、鉄道、自動車、航空機の発達によって人間は世界のどこへでも比較的容易に移動できるようになった。電信・電話などの通信手段の発達によってあらかじめチケットや宿を予約しておくこともできるようになった。やがて世界一周の記録は約二〇年後には六〇日に短縮され、二十世紀の初めには四〇日程度で世界一周ができる見込みになった。

こうして科学技術を生活に応用した産業革命によって、人間の活動は地球規模となり、空間と時間の尺度が地球規模で標準化される必要が生じ、それが満たされた。その帰結として、人類は地球をメルカトルよりも格段に深く知るようになった。一八八五年には世界の陸地の約九分の一のみが測量済みか測量中であるに過ぎなかったが、その後急速に陸地、奥地の探査は進み、二十世紀の初頭には植民地帝国の境界線が正確に地図に描かれるようになった。一九一一年にノルウェーのアムンゼン隊が南極点に到達したことで、人類が地球の陸地を地理的に把握する過程は一応の終わりを告げたのである。

新たな世界像はもっぱら航海という視点から世界をみていたメルカトルの地図を不十分なものとした。地球上のどこでも一様にあてはまる測定基準が必要とされるようになった。それは、人類の活動範囲が陸地も含めて地球規模のものとなり、かつコミュニケーションのスピードが速まったことの当然の要請だった。

このような地球的標準として設定されたのが、メートル法と世界標準時だった。メートル法は最初に革命さなかのフランスで、北極から赤道までの子午線の長さの一〇〇〇万分の一を単位とすることとし、ギリシャ語の「尺度」を意味するメトロンから名前をとってメートルと定められた。実際にはメートル法の採用はフランスでも一八四〇年代までは進まなかったが、一八六七年のパリ万博をきっかけに世界的な度量衡統一の必要性が認識され、一八七五年、二〇ヵ国の代表がパリに集まってメートル条約に調印した。

また、この時期には各国の時刻を統一するために、世界標準時の設定も必要と考えられるようになっていた。今日の我々には想像しにくいが、十九世紀中頃には時間の設定は各地ばらばらであった。ある土地での時計と、別の土地での時計とが何時間ずれているかといったことは、この頃までは気にとめる必要のないものであったからである。しかし鉄道と通信の発達によってこの時間の無軌道なずれがきわめて不便なことが明らかとなった。一八七〇年頃、ワシントンからサンフランシスコに向かうためには町を通過するごとに二〇〇回以上時計を合わせる必要があったという。このため、一八八四年、アメリカ政府の招きで二五ヵ国の代表がワシントンに集まり、イギリスのグリニッジ天文台を通る子午線を本初子午線として、世界標準時を設定することが合意されたのである。世界標準時の設定を推進したカナダの技師サンフォード・フレミングが述べたように、「地球の表面の全部が文明社会の注視にゆだねられ、遠く離れた場所どうしの時間の間隔をその距離に応じてばらばらにせずにす

む」ことになったのである。(7)

そして一九一三年には、メートル法とグリニッジ標準時は一つの統一された基準となった。世界的な地図製作基準の統一を図る国際会議で、フランスはグリニッジを本初子午線として認め、イギリスはメートル法を地図の公定基準として認めた。こうして地球の空間と時間を計る基準が統一されたのであった。

「国際政治」の三つのイメージ

「国際政治」という言葉が使われるようになったのは、ちょうどメートルと本初子午線が世界共通基準に採用されるようになった時期と重なっている。それは、さまざまな理由で、政治が従来の枠組みの中に収まらないと考えられるようになったからである。

実際に、「国際政治」やそれに近い言葉が最初に使われるようになった例を探ってみると、そこには大別して三つのイメージが存在したことがわかる。

第一のイメージは、十九世紀にヨーロッパにおいて意識されるようになった「権力政治」の舞台が地球大のものへと移行したという意識である。たとえばドイツ皇帝ヴィルヘルム二世が一八九七年、「世界政策（Weltpolitik）」を追求すると宣言したことはこうした用法の一例である。この時ヴィルヘルム二世は、それまで海外植民地をほとんどもたなかったドイツが、英仏露に比肩する世界強国の道を目指すことを宣言したのである。

ヴィルヘルム二世の世界政策はイギリスとの海軍競争の原因となり、やがて第一次世界大戦でドイツを破局に追い込んだ。しかし大戦前にはドイツ人の多くが「世界政策」を支持したのも確かである。社会学者であり、自由主義的立場をとっていたマックス・ヴェーバーも「ドイツの統一が、ドイツの世界権力政策の終わりであって出発点でないとするならば、ドイツの統一は、国民が過去の日に犯した若気の過ちであり、そのために払った犠牲の大きさを考えると、むしろなくてもよかったことを、我々は理解しなければなりません」と一八九五年に語っていたのである。(8)

そして権力政治の舞台がヨーロッパから地球全体に移行したこと、そこでの権力闘争こそが国家の命運を握るのだといった感情は、ドイツに限られていたわけではなかった。イギリスのジョン・シーリーは一八八三年に『イギリスの膨張』を著してイギリス帝国の拡大を擁護したし、フランスでも植民地を増やさなければフランスが二流国に没落するという危機感が表明された。それまで対外関係に消極的だったアメリカ合衆国でも、地球大の政治への参加が重視されるようになった。一八九八年にスペインとの戦争に勝利したアメリカは、キューバを支配下に置き、フィリピンを獲得した。その直後の一九〇〇年に、ウィスコンシン大学の政治学者ポール・ラインシュは『十九世紀末における世界政治』という著書において、列強が帝国主義政策に乗り出していること、アメリカは特に東アジアにおいてこの「世界政治」に参加せねばならないことを説いた。(9) さらにこの時期は、世界的地理の観点から勢力圏の支配を説くいわゆる「地政学」がイギリスのマッキンダーやアメリカのマハンによって提唱され、当時の指導者に少なからぬ影響をもつようになったことも、政治の地理的地平の広がりを示すものであったと言えよう。

第二のイメージは、技術の発達によって増大した国境を越える交流を、国際的に管理、統治する、いわば越境的（transnational）行政を「国際統治」と捉えるものであった。十九世紀の中期には多くのヨーロッパ諸国が自由貿易を採用し、世紀末になると主要国が金本位制を採用して国際投資が増大し、モノやカネの相互依存が深まった。さらに、この時期のヨーロッパにおいてはパスポートの制度は廃止されるか、有名無実化し、今日以上に人的通行は自由だった。実際、第一次世界大戦前のヨーロッパで暮らす人々にとって国境に対する意識は驚くほど薄かった。この時代に青春時代を過ごしたイギリスの経済学者ジョン・メイナード・ケインズはこの時代を振り返って次のように書いている。

一九一四年八月に終わりをつげた、あの時代は、人間の経済的進歩における、何と驚くべき挿話だったことだろう！　事実、人口の大部分が懸命に働き、低い慰安水準で生活しており、しかもどう見ても、こうした宿命にほどよい満足を覚えていた。……ロンドン市民は朝の紅茶をベッドで飲みながら、全世界の種々の産物を、自分にちょうどよいと思う数量だけ、電話で注文して、それがまもなく自宅まで配達されるのを当然期待することができた。それと同時に、やはり同じ手段を用いて、自分の財産を世界各地の天然資源や新企業に投資するという冒険を試み、何の努力も、何の苦労さえなしに、将来の果実と利益とにあずかることもできた。……ロンドンの市民は、それを望みさえすれば、どの国へも、どんな気候の土地へでも、旅券とか、ほかの手続きも要らずに、費用のやすい快適な交通手段を即刻確保することができた……。社会・経済生活の国際化が実際にはほとんど完全に近いものになっていたのである。(10)

この文章には失われてしまった時代へのケインズの郷愁も込められているだろうが、それを差し引いてもなおこの時代の相互依存の進展はめざましいものであった。

こうした相互依存状況からは、その活動を調整し、管理する国際的な統治ないし行政の必要が当然生まれてきた。すでに見たように、交通通信の発達にともなってメートル法や世界標準時の設定が必要になったことはその一例である。同様のことは交通通信の料金や制度を標準化する必要という形でも現れた。この場合、郵便のように国際的な行政機構(万国郵便連合)を創設して調整が図られる場合や、鉄道のように国際協定による場合があったが、いずれにせよ国境を越えた相互依存を円滑に機能させるためには一定の取極や管理が望ましいことが理解されるようになった。そしてこのような国際的統治としての「国際政治」は保健衛生、通商、労働保護や人道活動といった分野でも見られた。実際、国際的な非政府組織（NGO）の創設数は一八七〇年から七四年には八つだったのに、一九〇〇年から〇四年には六一に増加していたのである。[11]

このような越境的な統治組織の発達に、新しい政治の可能性を見たのは当時の中産階級知識人だった。たとえばイギリスのノーマン・エンジェルやレナード・ウルフがその例である。前者は一九一四年、大戦が始まる半年前に『国際政体の基礎』という演説集を出版し、後者はその翌年に『国際統治』という書物を公刊した。[12] いずれも、国境を越える相互依存の高まりが各国間の共通利益を高め、それにともなって生じる摩擦や対立は諸国の専門家の会合やその問題に特化した国際機構によって平和的に解決できること、逆に国家間の対立を戦争によって解決しようとすることは双方にとって利益をもたらさず、不合理であることを主張するものであった。

こうした見解は、一九一〇年にエンジェルが公刊し、彼を一躍有名にした『大いなる幻影』という著書にもすでに現れていた。[13] エンジェルによれば、「ある人民の通商と産業とはもはや政治的国境を広げることに依存していない。ある国民の政治的国境と経済的国境は必ずしも一致しなくなっている。軍事力は社会的、経済的には無意味になり、それを行使している人々の繁栄とは何の関係ももたなくなっている。ある国民が他国民を力によって従属させたり、自らの意思を押しつけたりすることで、他国民の富や貿易を力によって奪い取ることは不可能になったこと、つまり要するに、戦争は、たとえ勝利に終わっても、人々が望むような目的を達成することはもはやないのである」。すなわち、エンジェルやウルフは伝統的な外交や戦争に代えて、国家間の紛争を平和的に、法的に解決すること、また、国際的な交流が共通の利益を増進することを前提に、そこから生じる摩擦や誤解を理性と専門的知識によって解決していくことを「国際政治」と呼んだのである。

「国際政治」の第三のイメージは、世界の相互依存の高まりが、個人の忠誠を国家から世界へと移し、世界市民意識の普及が世界国家や世界政府の設立に至ることを期待するものであった。この立場の最も明確で、かつ影響力のあった主張者は、『タイム・マシン』や『宇宙戦争』で有名になった作家H・G・ウェルズであった。彼は一九〇二年、『機械的、科学的発達が人類の生活と思想に与える影響についての予測』という生硬な題名の書物を書き、次のように述べた。

科学と機械の発達、とりわけ交通通信科学がもたらし、今も発達しつつある新たな設備から生じる本質的な変化は、過去の社会組織が溶解して、ますます豊かで複雑な社会組織へと合成されていく過程である。この過程は最後には、一個の平和な世界国家の設立に至るであろうという考えは強力であり、その結論は抗しがたいものである。経済的な意味では、世界国家はすでに樹立されているのだ。[14]

ウェルズのこの主張は、科学技術の発達が世界国家をもたらすであろうというきわめて単純で楽観的な世界政府思想であり、それゆえに批判もされたが、彼は終生この主張を変えることはなかった。

ウェルズの世界政府のビジョンは今日ではほとんど忘れられているが、同時代の人々には非常な影響力をもつものであった。文明の発達と理性の普及によって世界政府が実現するというのは、啓蒙思想の一つの論理的帰結であり、尽きせぬ魅力をもつものだったのである。

以上のように、十九世紀末から二十世紀の初頭の時期に「国際政治」が語られるようになったことは、主権国家、国家間関係、地球世界と区分されていた近代ヨーロッパの秩序が決定的な変容を迫られるようになったことを意味していた。もはや主権国家は多くの面で完結した統治体ではなくなり、世界規模での国際秩序をめぐる闘争が意識され、また、世界市民主義が現実性をもって語られるようになった。この段階において「国際政治」が主権国家体制、国際共同体、世界市民主義の三つの要素を包含した複合的な「広い政治」であるという構図がはっきりと姿を現したのである。

三つのイメージの競合

二十世紀の前半の世界史は、これら三つの競合する国際政治イメージの関係を整理し、一つのバランスを見出そうという努力が積み重ねられた時代であったと見ることもできる。大きなきっかけになったのは一九一四年に始まった第一次世界大戦であった。この戦争は産業化された国民国家が総力戦を戦った最初の例であり、数百万の死者を出す惨禍をもたらした。この経験は、今日では国際政治が個人の自由や平穏に深く結びついていることを明らかにし、国際政治の構造を理解し、強固な秩序と平和をもたらすことが希求されるようになった。

第一次世界大戦の大きな衝撃から、当初、急進的で直接的な解決策に希望が託されたのはある程度無理のないことだったかもしれない。人々が国家に分かれて暮らしている状況こそ戦争の原因であり、人々が共通の価値観と忠誠心をもつ世界市民となることが平和を達成すると期待されたのである。こうした世界市民主義的構想は、第一次世界大戦中にアメリカとソ連という国際政治の新しい担い手の口から表明されたためにいっそう魅力的なものとなった。

当時のアメリカを率いたウィルソン大統領は「アメリカは人類を結びつけるために創造された」存在と考えていた。一九一七年一月の有名な「勝利なき平和」演説で彼は次のように語った。

今回の戦争（第一次世界大戦）が、新たな力の均衡を求めるだけの戦争だとしたら、新たな均衡の安定を誰が保障できるのだろうか。……力の均衡ではなく、力の集結こそが必要である。……いかなる平和も、次の原則を認めないものは永続せず、またするべきでもない。すなわち、政府はその正義の力を被統治者の同意に完全に依拠しているという原則である。(15)

ウィルソンは戦後に国際連盟が設立されることを支持したけれども、それは国家間の紛争を平和的かつ司法的に解決するためではなく、国民の同意を得、互いに平等な主権をもつ政府が人類のために協力する組織としてであった。つまり、ウィルソンが理想とする国際連盟は世界政府に限りなく近い存在であった。

しかしウィルソンが真に革新的であったのは、そのビジョンにおいてではなく、その行動においてであった。彼は自らヨーロッパに乗り込んで講和会議に参加した。一国の元首が外交交渉のために自国を離れるのは異例のことだった。結局、主要連合国の英仏伊の首相も参加することになった。ウィルソンは史上最初の首脳会議を演出したのである。

ウィルソンはまた、「公開外交」を唱え、他国の国民に直接訴えて世論の圧力を外交に活かすというもう一つの新機軸を打ち出しもした。彼は講和会議の開始前にフランス、イタリア、イギリスで民衆に対する演説を行い、熱狂的な歓迎を受けた。それまでは国家の首脳が外国に向けて訴えかけること自体が稀であり、内政干渉とすら受け取られかねなかったのだが、ウィルソンは国家の枠を超えて、世論を味方につけようとしたのである。

こうした新機軸は、国家間の交際が従来の「外交」から「国際政治」へと変化したことを如実に示していた。レーニンらソ連共産主義の指導者も、世界の人民（彼らの場合、それは労働者と同義であった）の同意に基づく世界政府を究極の目標とした点ではウィルソンと共通していた。トロツキーは一九一四年に「労働者の使命は、はるかに強力な祖国を創設することである。それは共和的なヨーロッパ合衆国であり、世界合衆国の基礎となるものである」と語ったし、大戦直後にレーニンは、「地上のいかなる権力も、世界大のソビエト共和国に到達するであろう世界共産主義革命の道を邪魔することはできない」と演説した。彼らの口にしたビジョンは、世界政府への志向という点でウィルソンと共通性をもっていたし、それはウェルズの理想につながるものだったのである。

しかし、こうした世界市民主義が単純に新しい政治秩序をもたらさないことはほどなく明らかとなった。ウィルソンの訴えは一般論としては世界中の人々に歓迎された。しかし実際に国際連盟を設立し、第一次世界大戦後の秩序を構築するための話合いがパリで行われるようになると、彼への支持は急速に低下した。フランス人はドイツがもたらした戦争被害に対する賠償を求めたし、イタリア人はオーストリアから領土を獲得することを優先した。帝国の支配下にあった諸民族は、世界市民となるよりも民族自決の原則に基づいて主権国家をもつことを望んだ。国際連盟規約では、「連盟各国の領土保全及現在の政治的独立を尊重」することが義務と定められ、連盟が主権国家の集合体であることが確認された。

同じように、ソ連共産主義の魅力の限界もすぐに明らかになった。第一次世界大戦後にソ連指導者が期待していたヨーロッパへの社会主義革命の普及は起きず、それどころかポーランドの民族主義政権との闘いにも敗れ、次第にソ連は追いつめられていった。ソ連が一九二四年に採択した憲法は「新しい連邦国家は、……すべての諸国での闘争を世界社会主義ソビエト共和国へと融合するための新たな決定的な進歩である」と宣言したが、それはソ連が当面は一つの国家として行動せざるをえないことを承認したものであった。すでに一九二二年から、ソ連は革命直後には否定していた国家間の外交関係を資本主義国と結びはじめざるをえなくなっていたのである。

こうして世界政府が直接に実現される道は挫折した。そしてその原因は世界市民主義という考え方そのものに内在していたのである。ウェルズの世界国家実現に向けての提言にすでにそのことは示されていた。ウェルズは世界国家が実現しない理由は、人々が心理的惰性に安住し、真の理性に目覚めていないからだと考え、技術に精通した一群のエリートが指導者となって世界の変革をもたらすべきであると考えた。彼はこうしたエリートを「サムライ」

と呼んだり、その活動を「公然たる陰謀」と呼んだりしたが、いずれにしても、理性に目覚めた少数者が世界を指導し、改造することで平和な世界国家が創設されるという彼のビジョンは一貫していた。それは「組織され、文明化された世界国家の実現の日を目指すこと」であり、「人類という集合的意識に目覚めること、より秀でた個人が、人類のために限りない努力と成果をあげ続けるような集合的な意思と精神とに目覚めること」を目指すものであった。このウェルズの構想が示しているように、世界政府を具体的に実現しようとすれば、おそらく科学技術を利用した少数エリートの支配に至らざるをえない。なぜなら、近代において最も崇高とされる価値は、市民としての忠誠ではなく、自由だからである。近代人が求めるのはさまざまな制約からの解放であって、世界政府という重荷を背負うことではなかった。それゆえ、世界を一つの政府の下に支配するには、世界を支配する力をもつ少数者を必要とする。ウィルソンやレーニンたちが期待した国際連盟や世界革命も、その実現の可能性が少しでも出てくると、人々が背を向けた根本的な理由はここにあった。

もちろん世界市民主義はその後も理想としては生き残り、ウェルズのような啓蒙家や平和団体によって唱えられ、国際政治にある程度の影響を与えた。しかしそれはただちに国家を廃棄することを目指すのではなく、国家の存在を前提として、国家の行動に枠をはめること、つまり各国の自助を原則とする主権国家体制を国際共同体へと置き換えることを目指すこととなった。

そうした活動の焦点は、国際法や国際組織を強化することにまず向けられた。第一次世界大戦以降、国際法は主権国家同士の合意によるものではなく、普遍的な道義を実現するものだという観点が出てきた。その典型は一九二〇年代における戦争違法化の試みであり、一九二八年の不戦条約はこの試みを成功させたかに見えた。この条約では、締約国は国際紛争解決の手段として、また、国家の政策の手段として戦争に訴えることを放棄することを誓約したからである。それは自助の体系である主権国家体制をより上位の法の権威の下に置くことになるかのように見えた。

また第一次世界大戦後には、経済、社会、科学技術、文化、人権といった分野での国際組織化が進んだ。たとえば国際労働機関（ＩＬＯ）はそれまで各国に委ねられていた労働条件について国際的調整を図ることが期待され、各国から政府代表の他に使用者代表、労働者代表の参加が認められたことは主権国家のみを主体としていた従来の国際法の枠を乗り越えるものと理解された。国際組織に至らなくとも、一九二五年のジュネーブ麻薬協定や一九二六年の奴隷条約のように特定の問題に関する国際協定が結ばれるようになった。国際連盟にあってこうした技術協力を推進したミトラニーはこのような分野での国際協力を「機能主義（functionalism）」と呼び、その進展が主権国家体制を置き換えると期待した。機能主義は

「権威を特定の活動と結びつけ、権威と決まった領域との間にある伝統的な結びつきを崩す」と彼は考えたのである。(16)

第一次世界大戦の後、国際法や国際組織はたしかに著しく発展した。しかしそれらが主権国家体制を国際共同体へと置き換えることは虚しい期待に終わった。不戦条約は、日本の満洲での武力行使やイタリアのエチオピアでの武力行使に対して実際的な意味をもたなかった。それは武力に代わる国際紛争の解決手段を与えなかっただけでなく、「戦争」や「自衛」といった言葉の解釈も主権国家に委ねられたままにしていたからである。

経済社会分野でも、一九二九年に大不況が始まると、各国は国際協力を捨てて国内経済の保護に走り、主要国がそれぞれ主導する経済ブロックに分裂した。一九三〇年代に明らかとなったのは、産業化は社会的結びつきを地理的に拡大し、国境を越えたつながりを強めただけでなく、社会と国家のつながりを強める作用ももっているということであった。つまり国民国家は産業化によっていっそう強固な基盤を確立したのである。この変化の種子は第一次世界大戦期に主要国がとった動員体制によってすでに蒔《ま》かれていた。そして一九三〇年代に国際政治経済環境が悪化する中で、社会の救済者として姿を現したのは社会への介入の度合いを強めた国家であった。

一九三一年九月に満洲事変が勃発し、その直後にイギリスが金本位制を離脱した時に、国際秩序は崩壊に向かいはじめ、一九三三年に大統領となったアメリカのフランクリン・ローズヴェルトが、就任演説で「わが国の国際貿易関係は甚だ重要なものではありますが、時機と必要性の点からしますと健全な国民経済の確立にとっては第二義的なものです」と宣言したのは、世界経済の回復よりも国内経済の建て直しを優先する姿勢を明らかにするものだった。さらに、各国が陥っていた通貨の切り下げ競争にブレーキをかけて世界経済を再建するべく、六月に開催されたロンドン世界経済会議でまとめられた通貨安定協定案に対して、ローズヴェルトは受け入れを拒否した。この案を受け入れることは、アメリカがインフレ政策を採る裁量を狭めることになるからである。大統領は「国民の福祉にとっては、その通貨の価値よりは健全な国内経済状況のほうがはるかに重要な要因である」と言い放ち、世界経済会議は成果なく終了し、国際経済は無秩序状態に陥ったのである。(17)

国際秩序の再建

しかし経済学者ケインズがこの決定を賞賛したことが示すように、ローズヴェルトの判断は愚かなものとは言えなかった。国家が自らの統治する社会に対する責任を拡大して引き受けること、つまり主権国家が再構築されることが、国際秩序を再建する前提だったからである。一九三〇年代に主要先進国では、不況からの脱出、失業対策、社会保障といった役割を国家が果たすことになった。のみならず、次第に緊張する国際情勢において、軍備を拡充する必要にも迫られた。この結果、国家が国民経済の中で占める割合は質的に変化した。各国によって制度の相違があり、単純に比較はできないが、米英仏独などでは中央政府支出の国民総生産に占める比率が、一九〇〇年から一九三〇年代後半の間に二倍から三倍になり、比率の高い国では三割近くを占めるようになっていた。これは、十九世紀に登場した国民国家が国内社会に対する福祉と対外的安全保障の機能を引き受けた行政国家に変化したことを示すものであった。

主要国が行政的機能を拡大し、国内体制がある程度落ち着いた後で、国際秩序再建の努力が開始された。その第一の理由は、世界経済の分断のマイナスが次第に明らかになってきたことである。ブロック経済は当初多くの国で有効に機能し、不況からの脱出を可能にするかに見えたが、この時期までに行き詰まりが見えてきたのであり、安定した国際経済体制が必要であるとの認識がもたれるようになってきた。一九三六年に米英仏の間で結ばれた三国通貨協定は、実質的な意味は少なかったが象徴的には国際経済体制再建に向けた一歩であった。その後、国際連盟の下で専門家委員会が設置され、公共事業、原料、貿易に関して国際体制の再建の必要性が確認された。しかしこれらの議論が明らかにしたのは、政治的に不安定で、戦争の危険が大きい国際秩序では、経済的安定も望めないということであった。

このことが、国際秩序の再編成を必要とする第二の、そしてより大きな理由であった。主権国家が自助によって安全を獲得するという主権国家体制の原理だけでは、地球大の国際政治は運営できなかったのである。産業化された軍事力の負担は大きく、しかもどれほどの軍備をもっても他国の攻撃から自国民を完全に守ることは不可能だった。また、帝国の崩壊の結果生まれた小国の多くは、かつての主権国家のように自力で自らを守る能力をもたなかった。国家間の人種的、民族的、宗教的価値観の相違も大きかった。大国を中心とした複数の主権国家が、かつてのヨーロッパのように、共存の体系を生み出すことは期待できなかったのである。

そこで、行政的機能を拡大した主権国家体制を前提とした上で、国家間の価値の共有性を再確認して国際協力の範囲を拡大し、国際秩序を再構築することが目指されることになった。第二次世界大戦中に、連合国が中心となって国際連盟に代わる国際機構として国際連合が設立されることになったが、それは安全保障理事会、特に常任理事国である米英仏中ソの五大国が強い主導権をもった上で、いくつかの原則を認める主権国家に開放された組織であった。その意味で、国際連合は主権国家体制をその中核としつつ、国際共同体としての協力の増進を図る組織であった。同じように、国際政治経済体制についても米英が主導する形でブレトン・ウッズ体制が構築され、協調的な世界経済の運営が制度化されることになった。

国際秩序が再建されようとする時、世界市民主義的な主張も再び力をもつことになった。一九四一年夏に米英首脳が公表した「大西洋憲章」は、ヒトラーの政府とその同盟国の危険を強調するとともに、民族自決の原則や普遍的な「恐怖と欠乏からの自由」の保障を訴えた。米英を中心とした連合国は、民族や地域に限定された枢軸国の訴えを超えて、普遍的、開放的な世界市民主義的主張によって自らの立場を正当化した。それはやがて、国連教育科学文化機関（ユネスコ）のような知的、文化的協力の枠組みにつながっていった。

しかしこうした世界市民主義の再生は、文化政策、思想戦、宣伝政策という形で政治権力と深く結びつくようになっていた。まさに世界市民主義がエリート支配に帰結する、ウェルズの逆説が実現しつつあった。ウェルズの書物を青春期に読んで影響を受け、未来に希望を抱いた鋭い人々はそのことを冷徹に表現した。オルダス・ハックスレーの『素晴らしき新世界』（一九三二年）やジョージ・オーウェルの『一九八四』（一九四九年）に代表される反ユートピアの世界像は、ウェルズ的世界市民主義が不可避的に陥る論理を鋭くえぐり出したのである。

実際の政治においても同じことが起こった。社会の救済者として現れた行政国家を基礎として、連合国＝国連体制は主権国家体制、国際共同体、世界市民主義の間に安定した均衡を形成するかと期待された。しかし世界を一つの価値意識によって統一しようとすることは、新しい権力闘争をもたらした。米ソ、資本主義と共産主義、個人主義と集団主義の間の相違は次第に決定的なものとなり、ついには冷戦に至った。冷戦は、地球社会が実現されるというユートピア像に対する不安が生み出した反ユートピアとして開始された。冷戦によって世界市民主義は再び現実と切り離された理想へと戻され、主権国家体制を基盤として、いかに国際共同体を強めるのかという現実的な課題が国際政治の主要問題となったのである。

国連のシンボルは、アメリカの地図製作者リチャード・ハリソンが作成し、大戦中に『フォーチュン』誌などで発表していた、北極を中心とする地図を基礎にしたものである。この地図はメートルと子午線が象徴する地球の一体化の到達点であり、航空機の発達によって、新旧両大陸の間の最短コースは北極海を越えたものになったことを示していた。それと同時にこの地図は北米とソ連の同盟関係を印象づける政治的象徴でもあった。

国際連合のシンボル　1947年10月の第２回総会の決議で制定された

冷戦が開始されるとこの地図は、その用途を米ソ間の戦略兵器の軌跡を想定する地図へと変える。冷戦は、人類滅亡という恐怖をともなっていた。しかしその冷戦ですら、人類がウェルズの「サムライ」に支配されるユートピアの恐怖よりましだと考えられたのである。冷戦に対する反撥は続いたが、やがて冷戦は一種の擬似秩序として受け入れられるようになった。しかし冷戦は、人類が新たな視点を獲得することで、その擬似秩序としての役割を終えたのであった。

3　宇宙時代――「仮想の地球社会」の挑戦

文明の転回

一九五七年十月四日、人類初の人工衛星スプートニクがソ連によって打ち上げられた。この打ち上げが世界、とりわけアメリカに与えた衝撃はよく知られている。アメリカの世論はソ連に先を越されたことに驚き、ソ連が大陸間弾道弾でアメリカを核攻撃できるのに、アメリカは十分反撃できないという「ミサイル・ギャップ」がまことしやかに語られた。間の悪いことにアイゼンハワー米大統領は十一月に発作を起こし、十二月にはマスコミを動員したにもかかわらず、米海軍が行った「バンガード」の打ち上げが惨めな失敗に終わって、アメリカ人の焦燥は極度に高まった。

アイゼンハワーは間違いなく、「宇宙競争」にカネと人を費やすなど虚しいと考えていたし、「ミサイル・ギャップ」が存在しないこともよく知っていた。第二次世界大戦での指揮の経験から航空写真偵察の重要性を知るアイゼンハワーは高々度偵察機U－2の開発を推進し、ソ連上空から秘密裡《ひみつり》にミサイルの保有状況を把握していたからである。しかし世論に押された彼は「宇宙競争」に乗り出さざるをえなかった。一九五八年初頭の一般教書演説で、彼はソ連の脅威が武器、貿易、科学、教育を含めた「包括的なもの」であり、「要するに、ソ連は全体的冷戦を仕掛けてきている」と述べた。一月には陸軍がアメリカ最初の人工衛星「エクスプローラーI」の打ち上げに成功したが、軍部に宇宙開発を委ねていることが非効率を生んでいると考えた議会は、航空宇宙局（NASA）の設置を認め、アメリカは「宇宙競争」に本腰を入れはじめた。

当時の政治家や官僚には思いもかけないことだったが、この宇宙競争の開始こそ、国際秩序での優越をかけた争いから、新しい世界システムの争いへと冷戦の意味転換が起きた瞬間だった。実はソ連でも意味の転換が起こっていた。スプートニク打ち上げの責任者コロレフは、イデオロギーにも兵器にも興味のない、宇宙を夢みる科学者だった。しかし彼は、第二次世界大戦直後から、アメリカ本土に到達するミサイルの開発を命じられ、それに従事していた。一九五七年の夏、ソ連最初の大陸間弾道弾R－7はカザフスタンのバイコヌールから太平洋に六四〇〇キロを飛び、成功していた。しかしかねてからコロレフは自分の夢を実現する方策を打っていた。一九五七年七月一日から一九五八年いっぱいは西側を中心とした科学者グループによって「国際地球観測年（IGY）」に指定され、米政府もIGYの間に衛星打ち上げの方針を表明していた。そこでコロレフは、ソ連上層部にR-7技術を利用して西側に先がけて衛星を打ち上げれば、ソ連の威信を高められることを説き、了解を得たのである。そしてラジオから聞き取れるスプートニクの発信音は、ソ連の技術的達成の何よりの証拠として世界の人々の耳に響いた。

スプートニクの成功はたしかに世界を変えた。スプートニクがなければ、ケネディは大統領にならなかったかもしれない。そしてケネディはアポロ計画を提唱し、アメリカの総力を結集したNASAは一九六九年に人間を最初に月面に運び、「宇宙競争」で巻き返した。しかし本当の変化は、見えないところで起こっていた。大陸間弾道弾による核攻撃の危険に対応するべく、米国防総省は高等研究計画局（ARPA）を発足させ、核攻撃を受けても停止しない分散型システムの開発に着手した。やがてそれはARPANETという通信ネットワークを生み、一九八〇年代には軍事部門から切り離されてインターネットとなった。人工衛星は宇宙への無限の進出の開始ではなく、地表に情報ネットワークがはりめぐらされる世界をつくりだしたのである。

結局冷戦に勝利したのは、スプートニクを打ち上げたソ連ではなく、バンガードの失敗を公開し、「フロップ（失敗）ニク」というあだ名で報道されて世界に恥をさらしたアメリカ

映画「2001年宇宙の旅」の１シーン　人類が月に降り立つ前年の1968年に公開されたスタンリー・キューブリック監督のこの作品は、活字時代から映像時代への移行と、宇宙が空想の舞台から自己内省の契機へと変化した転換点とを象徴している。（写真協力・川喜多記念映画文化財団）

だった。スプートニクで宣伝戦の見事な勝利を収めたソ連は、その発想から抜け出せず、一九八三年の大韓航空機撃墜事件や八六年のチェルノブイリ原子炉事故では事態の経緯を隠そうとしてかえって国際的に孤立を深めただけでなく、国内的威信も失った。この頃までにソ連の技術水準は西側にはるかに遅れをとるようになり、レーガン政権の仕掛けた戦略防衛構想に対抗する力は残っていなかったのである。ソ連は文明の変化の方向を見誤り、アメリカはそれに適応した。

二十世紀の後半に始まった宇宙時代は文明の転回点であった。近代の開始以来、人間精神は「外へ」向かうことで自由を獲得しようとした。フロンティアへの脱出、外部への拡張、巨大さへのあこがれ、量の集積といった価値を追求してきた。原子爆弾とそれを発明したマンハッタン計画はそうした追求の究極の形態であった。しかし宇宙に出た人間が獲得したのは、さらなるフロンティアではなく、大気圏外から内を見る視点であった。人類は「内へ」向かう視点をもつことになったのである。最先端の科学技術は、緊密なネットワーク化、精密さ、小ささといった価値を追求するようになった。地球を基礎に計測されていたメートルと時間は、精密さを要求する科学技術の要求に応えられなくなった。一九六〇年代にはメートルも秒も、原子が放出する光や周波数によって定義し直された。それは現代の科学技術の方向性を示している。

「宇宙船地球号」

こうした変化の事実は、一九六〇年代に鋭敏な観察家たちによって表現されていた。異色の建築家バックミンスター・フラーが「宇宙船地球号」という言葉を発明し、それはアドレイ・スティーブンソン米国連大使や社会学者ケネス・ボールディングの口を通じて短期間に広まった。この宇宙船地球号の中に、有機体の神経組織のように電気のネットワークが張りめぐらされることを予言したのは、カナダの英文学者マーシャル・マクルーハンであった。彼は印刷文明が「外爆発（explosion）」の文明であったのに対し、電子メディアの時代を「内爆発（implosion）」と呼んだ。また、アメリカの文明史家ルイス・マンフォードは、従来の文明を「機械的世界像」に基づくものと捉えて、これに代わる「有機的世界像」に基づく新たな文明の開始を提唱した。

今日から見れば、彼らそれぞれの見通しは不十分だったかもしれない。しかし巨大な変化が起きつつある中で、彼らは基本的な方向性は言い当てていたのではないだろうか。一方では、「内へ」向かう思想は、環境や生命といった新しい観点を急速に浮上させた。それは今日、政治の支配的言語の一つである。同時に、人類の科学技術もまた「内へ」向けて目覚ましい発達を遂げた。コンピュータ、インターネット、精密誘導技術、宇宙からの地球観測技術とその応用としての全地球測位システム（GPS）、バイオテクノロジーやナノテクノロジーなどの発展がそれである。それは生命と機械の相互浸透であり、マンフォードの言葉を借りれば、今日の文明は「機械化された有機的世界像」をつくりだしてきたと言えよう。(18)

そしてこの変化は我々の関心である政治のありようも当然ながら大きく変えることになった。新しい科学技術は、人工衛星が国境を知らないように、国境を越えて人々が一体感をもつことを可能にした。現代では、世界の大きな出来事は、紛争であれ、スポーツであれ、メディアを利用できる世界中の人々に同時的に共有される。メディアを通じる情報ほどではないけれども、人間のさまざまな活動も、国境を越えた規模の広がりをもつことが多くなっている。主権国家が設けた国境規制の壁が無意味になったと思われた時、擬似秩序としての冷戦は機能しなくなった。象徴的に言えば、ベルリンの壁が人や物の移動をせきとめることは

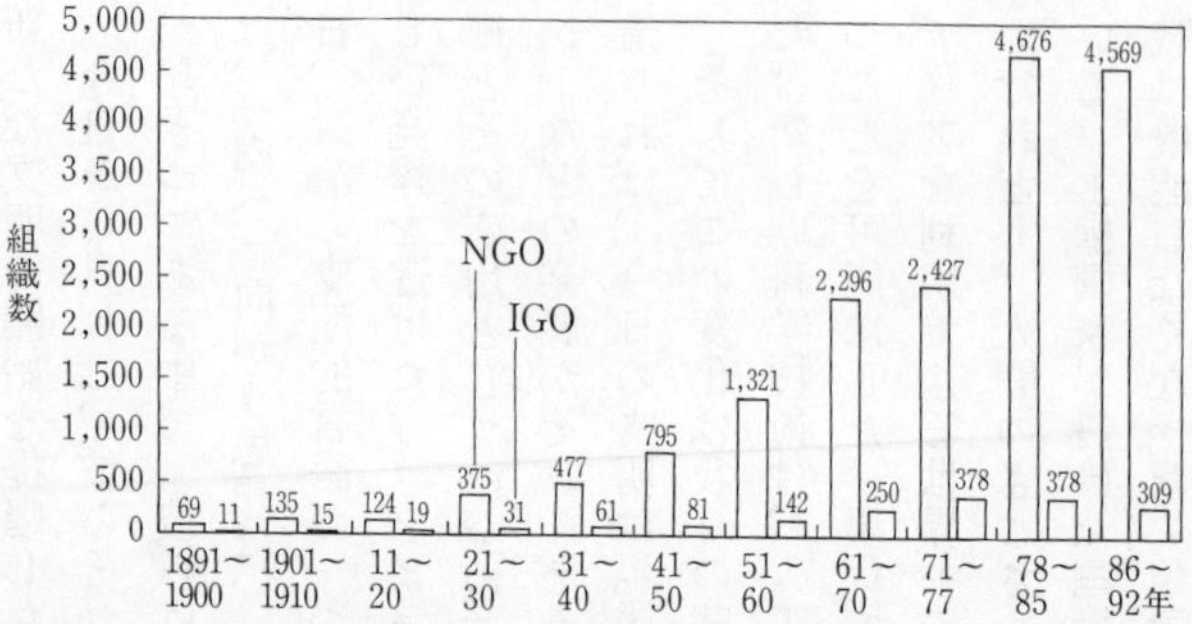

(出所) カレン・A・ミングスト, マーガレット・P・カーンズ『ポスト冷戦時代の国連』

図3　IGOとNGOの増加パターン(1891〜1992)

できても、宇宙を通じて情報が送られる時代には意味をもたないことを東側の指導者が悟った時、冷戦は終わったのだった。

従来の境界区分が効力を弱めたことは、人類を一つの地球社会に近づけつつあるように見える。その証拠に、図3に示されるように、二十世紀の後半になって、政府間国際組織（IGO）、非政府組織（NGO）の数は急速に増大した。のみならず、大規模な国際会議がしばしば開催されるようになった。たとえば一九六〇年代からしばしば開催されるようになった国連特別総会は、地球全体の社会経済問題をテーマとすることが多い。国連総会には通常の総会の他に安保理ないし加盟国の過半数の要請があった時に開催される特別総会がある（その他に、一九五〇年の「平和のための結集決議」によって招集される臨時特別総会がある）が、一九五〇年代まではパレスチナ問題に関して二度開催されたに過ぎなかった。しかし一九六一年以降、頻繁に特別総会が開催されるようになり、七〇年代以降には、「資源と開発」（一九七四年）、「開発と国際経済協力」（一九七五年）、「軍縮」（一九七八年、一九八〇年）など広いテーマを扱うようになった。一九九〇年代の後半にはこの傾向がいっそう強まり、毎年のように環境、人口、開発、麻薬、女性、児童、居住、エイズといった問題に関する特別総会が開催されている。さらに特別総会ではないが、国連が関与して主催される国際会議も加えると、その数はいっそう増加する。しかも大規模な国際会議にさまざまな市民団体が関与することも珍しくなくなってきた。

「仮想の地球社会」の挑戦

それでは我々は本当の意味で地球社会をもったのだろうか。近代以来の国内政治と国際政治の区分、そして国際政治にまつわる主権国家体制、国際共同体、世界市民主義のトリレンマは解消され、一個の地球的政治が生み出されつつあるのだろうか。

実際、一九七〇年代頃から国際政治学、国際関係論においてさかんとなった「世界システム」的アプローチ、すなわち世界を一つのシステムとして捉え、その構造を把握しようとするアプローチは、地球的政治の可能性という意識を反映したものであろう。たとえば、世界政府の不在（アナキー）を国際政治システムの基本的特徴と捉える見方（ケネス・ウォルツなどのネオ・リアリズム）、主権国家システムの社会的性質を強調する見方（ヘドレー・ブルなどのイギリス学派）、越境的な相互依存の進展が国家の独自性を相対化し、一種の多元的社会をもたらしつつあるという見方（ロバート・コヘインやジョセフ・ナイなどの相互依存論）、世界システムの本質をグローバルな資本主義体制に見いだす見方（ウォーラーステインのマルクス主義的な世界システム論）などが指摘できる。[19]

こうした「世界システム」的観点は冷戦終焉後にいっそう強調されるようになった。たとえばその代表的な世界像を取り上げても、（1）自由民主主義が勝利し、進歩と啓蒙の歴史としての世界史が終焉したとする見方（フランシス・フクヤマ）、（2）主権国家の抗争史としての近代は終焉し、多元的なネットワークで結ばれた新中世的圏域が世界を主導するという見方（田中明彦）、（3）ネットワーク社会が啓蒙主義的な近代国民国家を衰退に追いやり、帝国的秩序が復活しつつあるという見方（ジャン＝マリ・ゲーノ）、（4）世界の基本的な枠組みは国家やイデオロギーの対立ではなく文化、特に基底的な価値観である文明の抗争関係によって規定されていくという見方（サミュエル・ハンチントン）、などを挙げることができよう。[20] これらの見方はその示唆するところは異なっているが、それぞれ現在の人類の状況のある面を鋭く捉えていると言えよう。また、いずれも近代的な主権国家が今後の国際政治に対してもつ比重の低下を強調している点で共通している。

しかし逆に、二十世紀の後半は「主権の大量生産」が行われた時代でもあった。地球上に存在する主権国家の数は、二十世紀の前半を通じて五〇程度にとどまっていた（一九〇七年の第二回ハーグ平和会議の参加国は四四であり、一九四五年に国際連合原加盟国となったのは五一ヵ国だった）。それが二十世紀の後半には主権国家の数は急増しはじめ、半世紀の間に四倍の二〇〇ほどになった。統合が進むヨーロッパにおいてすら、主権国家の増加傾向に歯止めがかかる兆しはない。

もちろん今日の主権国家がかつてのそれとは性格を変え、その数の増大にもかかわらず質的には重要性を低下させていると見ることも可能である。今日の主権国家が完結性を保ちえず、さまざまな制約を受けていることもまた明らかだからである。しかし少なくとも主権国家の数が増加している現実は、今日我々が抱く「地球社会」の感覚を相対化させる。「地球社会」を意識させる現象はテクノロジーによって生み出され、人工的な空間においてのみ可能な範囲にとどまっていることが少なくないのではないだろうか。たとえばインターネットを通じたコミュニケーションはたしかに国境を感じさせないが、それはコンピュータに限られた世界に過ぎない。その意味で我々が経験しているのは、「仮想の地球社会（virtual global society）」にとどまっている。しかし今日では、そのような「仮想の地球社会」が現実に大きな影響を与えるようになっているという事実も否定できない。人工技術によって作られたユートピアとリアリティとの境界線が曖昧になってきているのが今日の国際政治の状況ではないだろうか。

「仮想の地球社会」は、主権国家体制、国際共同体、世界市民主義という近代以来の国際政治を織りなしてきたトリレンマに対してどのような影響を与えるのだろうか。それは国際政治を地球的政治へと転化しつつあるのだろうか。それとも国際政治は基本的に変化なく継続されているのだろうか。こうした問いへの解答の手がかりを探るために、近代の主権国家体制、国際共同体、世界市民主義の根底にあった、安全保障、政治経済、価値意識の三つの位相について、今日の「仮想の地球社会」が与える挑戦の性質を分析していこう。

引用・参考文献

(1) Martin Wight, "Why is there no international theory?" Herbert Butterfield and Martin Wight eds., *Diplomatic investigations*, London: G. Allen & Unwin, 1966.

(2) ジョン・ノーブル・ウィルフォード、鈴木主税訳『地図を作った人びと』河出書房新社、二〇〇一年

(3) 会田雄次責任編集、池田廉訳『マキアヴェリ』世界の名著二一、中央公論社、一九六六年

(4) 吉村忠典『支配の天才ローマ人』三省堂、一九八一年

(5) フリードリッヒ・マイネッケ、菊盛英夫・生松敬三訳『近代史における国家理性の理念』みすず書房、一九七六年

(6) ヤーコプ・ブルクハルト、柴田治三郎訳『イタリア・ルネサンスの文化』中公文庫、一九七四年

(7) スティーブン・カーン、浅野敏夫訳『時間と空間の文化――一八八〇―一九一八年』上下　法政大学出版局、一九九三年

(8) セバスティアン・ハフナー、山田義顕訳『ドイツ帝国の興亡』平凡社、一九八九年

(9) Paul S. Reinsch, *World politics at the end of the nineteenth century*, Macmillan, 1900.

(10) ジョン・メイナード・ケインズ、救仁郷繁訳『講和の経済的帰結』ぺりかん社、一九七二年

(11) F. S. L. Lyons, *Internationalism in Europe, 1815-1914*, A.W. Sythoff, 1963.

(12) Norman Angell, *The foundations of international policy*, W. Heinemann, 1914. Leonard Wolf, International government, Fabian Society, 1915.

(13) Norman Angell, *The great illusion*, G.P. Putnam, 1910.

(14) H. G. Wells, *Anticipations: of the reaction of mechanical and scientific progress upon human life and thought*, Chapman, 1902.

(15) Arthur Link ed., *Papers of Woodrow Wilson*, vol.40, Princeton University Press,1982.

(16) David Mitrany, *The functional theory of politics*, M. Robertson, 1975.

(17) C・P・キンドルバーガー、石崎昭彦・木村一朗訳『大不況下の世界　一九二九―一九三九』東京大学出版会、一九八二年

(18) ルイス・マンフォード、生田勉・木原武一訳『権力のペンタゴン』河出書房新社、一九七三年

(19) Kenneth N. Waltz, *Theory of International politics*, Mc Graw-Hill, 1979.〈ドリー・ブル、臼杵陽一訳『国際社会論』岩波書店、二〇〇〇年。Robert Keohane and Joseph Nye, Jr., *Power and interdependence*, 3rd ed., Longman, 2001. I・ウォーラーステイン、川北稔訳『近代世界システム――農業資本主義と「ヨーロッパ世界経済」の成立』岩波書店、一九八一年

(20) フランシス・フクヤマ、渡部昇一訳『歴史の終わり』三笠書房、一九九二年。田中明彦『新しい「中世」――二一世紀の世界システム』日本経済新聞社、一九九六年。ジャン＝マリ・ゲーノ、舛添要一訳『民主主義の終わり』講談社、一九九四年。サミュエル・ハンチントン、鈴木主税訳『文明の衝突』集英社、一九九八年

第二章　安全保障の位相

テロによって破壊される世界貿易センター（2001年9月11日。©Chao Soi Chong/AP/WWP）

1　恐怖の外部化

ホッブズの洞察

安全保障という言葉は今日ではかなり定着した日本語となった。もともとこの言葉は、国際政治の用語として英語のセキュリティやフランス語のセキュリテの翻訳語として輸入された。さらにその語源は古代ローマ時代のセキュリタス（securitas）という言葉に求められる。古代ローマではセキュリタスは、初めは精神的な心の平穏を意味する、ストア哲学の基本概念の一つだった。やがてそれは社会的、政治的な意味をもつようになり、ローマ帝国の時代には「ローマによる平和」（Pax Romana）と結びつけられるようになった。第一章で見たように、近代の政治理論家はギリシャ、ローマ時代に政治の見本を求めて、ギリシャ語やラテン語の言葉を当世風に使いはじめたが、セキュリタスはとりわけ重要な意味をもった。

近代における「セキュリタス」（ここでは「安全」と表現する）の特徴は、何よりもそれが個人の自由という概念と分かち難く結びつけられたことである。この点を最も深くえぐり出したのは十七世紀イギリスの思想家ホッブズであったと言えよう。ベーコン、ガリレオ、デカルトといった自然科学の始祖と交流した彼は、制度化された宗教信仰は心の弱さの表れであると断定し、そうした権威に頼らない、人間の内在的な理性に基づく社会秩序を構築しようとした。しかし彼が生きた時代は、イギリスで王権と議会の間に激しい対立を生じ、清教徒革命に至った内戦の時代であり、ホッブズ自身この争いに巻き込まれた。こうした経験はもちろんホッブズに、既成の宗教的権威の限界を確認させた。しかしホッブズが天才的であったのは、彼がさらに進んで、自由な近代人の精神の内奥に存在する恐怖に視点を据えたことであった。

彼の主著『リヴァイアサン』(一六五一年)は、止みがたい恐怖を抱えた人間が「安全」を獲得するには、自ら進んで国家の支配を受けるほかないことを論証した著作であった。ホッブズによれば、「私たちはこの世にあるかぎり、精神の永遠の静けさはない。なぜならば、生それ自体が運動にほかならず、また生は感覚なしではありえないように、欲求や恐怖なしにもありえない」。理性をもち、将来を予測できる人間は、まさにそのゆえにたとえ生物学的に満たされていても将来への不安にかられ、精神的に満たされることはない。そうした人間は強大な権力の統制に置かれなければ、自らを満たすために互いに相争うことになる。

万人が万人にとっての敵である戦争の時に起こることはすべて、人々がかれら自身の強さや工夫によって得られるもののほかにはなんの保障(security)もなく暮らしている時にも起こる。このような状態においては勤労の余地はない。なぜなら、その成果が不確かだからである。したがって、土地の耕作は行われず、航海も海路で輸入されうる財貨の使用も行われず、便利な建物もなく、多くの力を要するものを運搬し、移動させる道具もなく、地表にかんする知識も時間の計算もなく、技術も文字も社会もない。そしてもっとも悪いことは、継続的な恐怖と暴力による死の危険とが存在し、人間の生活は孤独で、貧しく、険悪で、残忍でしかも短いことである。(1)

ホッブズは、自由な個人にとって最悪の状態は心理的恐怖の無限増殖であると見抜いた。これに対してホッブズの与えた解答は、内面的恐怖を国家の支配の恐怖に転化することであった。支配の恐怖の下でのみ、内面的恐怖の無限の増殖を抑制しうる。ここにホッブズは自由な近代人が自ら進んで国家の支配を受け入れる根拠を提示したのである。人間の内なる恐怖を外部に放逐し、人々に安全を提供することこそが、近代国家の存在根拠だとホッブズは定義したのである。

勢力均衡

しかし恐怖が人間の内面から国家へと外部化されたとしても、国家同士の間では同じような恐怖が存在し、その恐怖が絶えざる戦争に導くのではないだろうか。ホッブズはその危険性を否定しなかった。しかしホッブズの時代の人々にとっては、国家同士の戦争状態は、人間同士の戦争よりもましと考えられていた。ホッブズは主権者同士が絶えざる嫉妬《しっと》によって戦争に備えることは、それぞれの臣民に対しては勤労の機会を与えるので、個人が自然状態にある時のような悲惨な状態に陥らないと指摘した。少し後のオランダ人スピノザも「二つの国家相互の関係は自然状態における二人の人間相互の関係と同様である」と認めながら、「ただ違うのは、国家は他からの圧迫に対して自己を守りうるが、自然状態における人間はこれができないということだけである。なぜなら、人間は毎日眠らなければならず、しばしば病気や精神の悩みに襲われ、ついには老衰し、なおそのほか、国家なら煩わされずにすむような種々のめんどうなことを負担しているからである」と、自然状態にある国家のほうが、自然状態の個人よりも安全な状態にあると認めていたのである。(2)

この点でホッブズやスピノザの判断は事実にも符合していた。十七世紀から十八世紀にかけて、ヨーロッパでの戦争はそれ以前よりも犠牲の少ないものとなっていった。十六世紀から十七世紀にかけては、火薬や銃砲などの新技術がもたらした「軍事革命」と、宗派的対立をともなう内戦と戦争の入り交じった闘争が血なまぐさい結果をもたらしていた。サン・バルテルミーの虐殺では五万人以上が犠牲になったといわれるし、イギリスでも内戦と戦争で一〇万を超える犠牲者が出た。さらにドイツを戦場にして戦われた三十年戦争はより悲惨で、一六三一年のマグデブルク陥落の際には町は焼き尽くされ、三万人の人口の過半が年齢、性別の区別なく虐殺され、三十年戦争全体でも、当時のドイツ人口の三分の一が死亡したという推計もある。これに比べると、近代国家が形を整えた十七世紀後半以降の約一五〇年のヨーロッパでは、暴力はかなり抑制されていた。国内では次第に宗教的寛容が認められて宗教戦争がなくなり、戦争の形態では会戦よりも国境の要塞《ようさい》を奪い合う攻囲戦が主流となって、敵を殲滅《せんめつ》するよりも、退却させることが目指されるようになったのである。歴史家のネフが書いたように、「十八世紀初頭の知的共同体にとって、戦争は、地震や春先の洪水と同じ程度にしか、文筆家、芸術家、自然哲学者の関心を引きつけない、自然災害の一種と見なされるようになった。会戦は存在したし、時には虐殺もあった。……人間性から残酷さと欲望が取り除かれたわけではなかった。しかし残酷さと欲望を表に出す機会はますます減っていたし、平和な人間すらも闘争にかりたてるような恐怖の原因も減っていった」のである。(3)

こうした変化は、ある学者が十二世紀から一九三〇年代までのヨーロッパの主要な戦争を指標化し、その激しさを比較した数字からも見てとることができよう。表1に見るように、十二世紀から戦争は次第に激しさを増し、十七世紀にはいったん高い水準に達したが、十八、十九世紀には少し数字が下がっている。それはこの時代にある程度は戦争が抑制されていたことを示していると言えよう。

表1　ソローキンの戦争指標

世紀	12	13	14	15	16	17	18	19	20
烈度	18	24	60	100	180	500	370	120	3080

Q. Wright, *A Study of War*, P.237

戦争が比較的穏やかなものとなったせいもあり、平和は絶対的な目標とはされなかった。しかし、国家間に秩序を設けようという試みは続けられた。戦争は完全には避けられないにせよ、主権国家の存在そのものは維持され、また戦争を少なく、穏やかなものにしようという努力がなされたのである。

十八世紀にヨーロッパ諸国の間で共有されはじめた「勢力均衡（balance of power）」は、そうした考え方に基づくものであった。この言葉は十八世紀初頭までにヨーロッパの外交用語として定着した。それは、ある一国が他国を圧倒する力をもつことは望ましくなく、そうした状態を避けることをヨーロッパ諸国に共有された目標とし、覇権を目指す国家に対しては他国が共同して対抗するという原理であった。

主権国家は、宗教や帝国といった権威を建前として混乱した中世末期のヨーロッパに秩序を与え、個人の安全を守る防壁として構築された概念であった。したがって複数の主権国家が併存する状態において、主権国家同士の関係を、より上位の権威によって秩序づけることはできない。このジレンマ――主権の絶対性は個人に安全を与える防壁であるが、まさに主権の絶対性ゆえに国家間には常に戦争の危険が存在する――に対する実際的な対処法として、力という客観的事実によって強国が弱国の主権を容易に犯すことができないような状態をつくりだしたのが勢力均衡という原理だった。

この原理は、複数の国家が互いに独立を保ちながら、しかもヨーロッパが全体として「諸国家からなる家族」としての状態を実現するという要請を実現するためには、おそらく唯一可能な方法であった。実際、勢力均衡の原理は、それがヨーロッパに安定をもたらす仕組みとして高く評価された。十八世紀の初めにあるイギリス人が書いた、「勢力均衡の教説ほど、はっきりした事実であり、市民社会の繁栄にとって一般的に重要であり、人類が高い代価を払って学んだ、諸国民の法に関する教説は存在しないと私は信じる」(4)という言葉は、勢力均衡の原理に対して当時の人々が与えた評価としては一般的なものだった。

十八世紀の間は勢力均衡は実際にその目的を果たしたと言えよう。ポーランドのように内乱状態に陥った結果、分割されて主権を失う例もあったけれども、基本的には主権国家体制は維持された。それは何よりもこの時代には国家の力が互いに測りやすく、しかも戦闘が制限されていたからであった。この時代、兵器はまだ産業化されておらず、その殺傷力は弱かった。主権国家はその国境を要塞で守られた領域国家であり、当時の軍事技術の水準では容易に征服されることはなかった。

安全保障のジレンマ

十八世紀の後半からこうした状況は変化しはじめる。近代人はさらなる自由の拡張を求めて、国家の造りかえに従事しはじめたからである。国境線によって定義されていた領域国家は、社会に支えられた国民国家へと性質を変えていくこととなった。フランス革命の少し前にフランスの軍人ギベールは、国民意識に支えられた軍隊へのあこがれを書き残した。「民衆は公序良俗と徳と勇気と愛国心をかね備え、報酬を求めず、共同の防衛のために武装し、戦争を少ない出費で行うことができたとしよう。……このような国にとっては、要塞など必要ない、とわたしはいいたい。……というのも、まず第一にこのような国の軍隊は、最も勇敢であり、最もよく組織され、最もよく指揮されていて、かならずや国境で敵を防ぎとめることができるであろうからである。もしその逆の事態が生じたとしても、この国は、何里かの国土を失うだけで危機にひんすることはない。市民たちは国の各所から集まり来たり、共通の敵に対して抵抗するであろう。敵が勝ちを得れば得るほど、敵は散開せざるをえなくなり、より弱体になるに違いない。敵のいるところ、そこが国境となるであろう(5)」。事態はまさにギベールが期待したようになった。愛国心に支えられた国家は、巨大なエネルギーを戦争にふり向けることができるようになったのである。そして戦争は国境の取り合いから社会と社会の対決にその性質を変えた。

国民国家の理念は、個人の自由を拡大しようとした啓蒙思想の論理的帰結であった。国家は要塞によって守られた国境によって定義されるのではなく、国民の愛国心によって定義される存在となった。そして国民国家化によって、ホッブズの始めた恐怖の外部化の企てはさらに進められることになったのである。いまや恐怖の源泉は、国家の外部から攻撃を加えてくる人格をもった敵であった。革命後のアメリカで、共和国の自由を脅かす外敵に対する安全という意味で、安全保障という言葉が対外関係に用いられるようになったのは特徴的であった。国家とは国民の集合的意識であり、一個の人格をもつかのように観念されるようになったのである。

しかしこのことは、大きなジレンマを生むことになった。国家はたしかに強力となった。しかし、国家が集合的人格と捉えられるようになればなるほど、人間理性がもたらすホッブズ的恐怖が国家の間にも作用する危険性も高まることになった。国家理性が恐怖心に駆られると、国家は互いに安全を求めて相互破滅に陥りかねない。国家が将来への不安から安全を追求し、そのことが他国の不安をいっそう駆り立てて相互恐怖の悪循環に陥ることを「安全保障のジレンマ」と言う。この安全保障のジレンマから抜け出す方法の模索が、国際政治に関する議論のかなりの部分を占めてきたと言っても過言ではない。

単純に考えれば、人々がただ一つの普遍的な国家、つまり世界国家による支配に進んで同意すれば安全保障のジレンマは解決する。しかし、自然人が国家を創設して内なる恐怖を外部化したようなホッブズ的解決を国家間にあてはめることは許されない。国家はあくまで自由な個人から支配を委任された存在に過ぎず、その国家が支配を他に委ねることは、国家が委任の範囲を超えて個人の権利を譲り渡すことを意味するからである。

現実に、フランス革命後のヨーロッパの経験は、世界国家が容易に実現しないことを示した。フランス革命とその後のナポレオン帝国による征服は、ヨーロッパに自由の精神を広めた。しかしその結果は、ナポレオンの支配に反抗して各国で愛国心が燃え上がったことであった。異なる言葉を話し、異なる風習、文化をもつ人々が一つの国家をなす時、少数派の自由が抑圧される危険性が常にある。諸民族が自由への愛を共有するようになったことは、まさにその自由への愛ゆえに政治的独立を求める争いを生んだのである。

しかし安全保障のジレンマを抜け出し、国家間に確固とした平和の基礎を築きたいという願望は止むことがなかった。特に第一次世界大戦によって、近代戦争の悲惨さが明らかとなった後はそうであった。そこで注目されたのは、国家ではなく国際機構の手によって安全保障を実現しようという集団安全保障の試みであった。

集団安全保障は、諸国があらかじめ平和を保つ条件を盟約し、それに反した侵略国に対しては他の国家が一致して制裁を加える国際機構を創設することで、侵略を抑止し、万一の侵略の場合には撃退する体制を意味する。こうした考え方は、近代ヨーロッパの初期に何人かの著述家（クルーセ、シュリー公、ペン、サン・ピエールなど）によって表明されていたが、彼らの提案は中世の帝国のイメージを残したものであり、一般に支持を受けることはなかった。しかし第一次世界大戦前後から勢力均衡政策への批判が強まると、それに代わる体制として集団安全保障への期待が復活したのである。

集団安全保障を実行に移す組織として期待されたのは、国際連盟であり、国際連合であった。しかしいずれの組織も、集団安全保障の理念を実現することには成功しなかった。その失敗は集団安全保障という考えのもつ基本的欠陥に由来するものであった。

国際連盟では、早い段階から集団安全保障を主権国家体制の限界内にとどめることで一致した。一九一九年に定められた国際連盟規約の第十六条で、規約に違反して戦争に訴えた国は「当然他の総《すべ》ての連盟国に対し戦争行為を為したるものと看做《みな》す」とされたにもかかわらず、一九二一年の連盟総会では「規約の違反がなされたか否かを決定するのは、連盟国おのおのの権限である」という解釈決議がなされ、主権国家の基本的な権利が確認された。その後も連盟体制下で集団安全保障の強化のために議論が積み重ねられたが、結局有効な解決策は得られなかった。各国は一般論として集団安全保障の考えに反対は表明しなかったものの、自国の直接に関係しない戦争に巻き込まれることを恐れたのである。

ただし国際連盟には当初、アメリカが加入しておらず、ソ連、日本、ドイツなども参加していない時期があり、普遍的な国際機構という点から見て大きな欠点を有していた。それゆえ、一九三〇年代に、日本による満洲での軍事行動、イタリアのエチオピア侵略といった一連の事態が起きた後、国際連盟が有効に機能しえなかったのは国際連盟が集団安全保障体制として不十分だからであるとの説がなされた。この時期に集団安全保障が研究対象として意識され、さかんに議論されたのは、こうした問題意識を反映していた。

そして第二次世界大戦が開始されると、今度こそ完全な集団安全保障体制を構築する「第二の機会」であるという考えが抱かれた。アメリカ大統領フランクリン・ローズヴェルトは、米英ソを中核とする主要国が共同で世界の安全保障に主たる責任を負い、その他の国々が主要国に協力する新たな国際機構を構想した。国際連合は基本的にこの構想に沿ったものであった。国連では、米英ソ中仏の五大国が常任理事国として中核をなす安全保障理事会によって侵略行為の認定が行われ、侵略に対する措置についても拘束力ある決定をなす権限をもつとされた。さらに国連構成国は安全保障理事会と特別協定を結んで事前に兵力その他の便益の供与を約することになっており、軍事参謀委員会すら設けられて、強い強制力をもつ仕組みがつくられた。

しかし実際には常任理事国は多くの場合一致して行動せず、軍事参謀委員会も結成されず、構成国との特別協定も一つとして結ばれることはなかった。当初それは、安保理常任理事国の拒否権のせいであるとされた。特に西側諸国は、拒否権を濫用するソ連こそが集団安全保障の理念を否定する張本人であると非難し、国連の運営をめぐる対立は冷戦の一つの原因ともなったのである。アメリカは拒否権の使用を制限したり、安保理の権限の一部を総会(そこでは拒否権は存在せず、多数決で決定を行える)に移したりする方策を模索した。

この試みは、一九五〇年に北朝鮮軍が三八度線を越えて侵攻し、朝鮮戦争が始まった時に最も実現に近づいた。開戦当初、ソ連は中国代表権問題を理由に安保理を欠席しており、西側はソ連抜きで安保理決議を出すことができ、国連軍を朝鮮半島に派遣して北朝鮮軍に対抗した。しかしやがてソ連は安保理に復帰し、安保理は機能しなくなった。この時、アメリカが主導して総会で採択されたのが「平和のための結集決議」であった。この決議は、安保理が平和と安全の維持に関する責務を遂行できない場合、代わって総会が「軍隊の使用を含む集団的措置」を審議し、構成国に勧告できるという内容を含んでいた。つまり、「結集決議」は一定の範囲内においてではあったが、国際社会の多数意志による集団安全保障体制の実現を図ろうとしたものであった。

しかし、この「結集決議」による強制的集団措置は、その後一度も勧告されなかった。当時国連総会で少数派であった東側は当然この決議に反対したが、そのことだけが理由ではなかった。アメリカを含めた西側も、この決議を実行に移すことに躊躇《ちゅうちょ》しはじめたのである。たしかに総会で西側は多数を占めるけれども、将来その構成は変わりうるし、何よりも、現実の決議を目の前にすると、自国の望まない武力行使に引き込まれる危険の大きさを感じざるをえなかったからである。

「結集決議」によって集団安全保障体制の試みは最高潮に達した。そしてそれがほぼ完全に支持を失ったことほど、集団安全保障の非現実性を明らかにした事例はなかった。集団安全保障は、「平和は不可分になった」という前提に立っている。つまり戦争が始まれば世界中のどの国も影響を受けるのだから、世界は一致して侵略を抑止し、対処せねばならないというのである。たしかに今日では戦争が起きれば相互依存によって結びつけられた世界は何らかの影響を受けるだろう。しかしそうだとしても、武力紛争に巻き込まれるとは限らない(現に二つの大戦でも中立を守った国は少なくない)し、自動的に参戦を義務づけられることは、主権の最も基本的な要素を失うことを意味する。集団安全保障は、その理念とは裏腹に、あらゆる紛争を世界戦争へと転化しかねない体制なのである。結集決議によってその危険が明らかとなった時、諸国は集団安全保障体制を完成させるよりも、主権国家としての選択肢を守る選択をしたのである。

集団安全保障体制の失敗は、一部の国家が自己の利害に固執したためではなく、国際政治の本質によるものであった。主権国家は、安全保障のジレンマの存在を意識しつつも、自らの生存の問題を国際機構に委ねることはできないのである。そのことは、実は国連憲章に自衛権についての条項が書き込まれた際、すでに明らかとなっていた。国家の自衛権を認めることは、その濫用につながって集団安全保障体制を無意味にするという反対は存在したし、それは根拠のない懸念ではなかった。しかし国連憲章を実際に決定する時には、この権利を確認することなしには連合国の合意は得られなかったのである。実際には、集団安全保障はほとんど機能せず、各国は自衛権に基づいて軍備を整備し、安全保障政策を実行したのである。自衛権が集団安全保障を失敗に終わらせたのではなく、集団安全保障が画餅《がべい》に過ぎないために自衛の必要が生じるのであって、国連憲章で自衛権が認められたことは、わずかでも自衛権を法的枠組みに従わせる効果をもったのである。

こうして、二十世紀の経験は国際機構の創設によって安全保障のジレンマを解消することはできないことを教えた。代わって発達したのは、軍備の恐怖を手なずけ、合理化することだった。

2 恐怖の制度化

軍事力と政治

主権国家体制に内在する安全保障のジレンマが容易に解消できないものだとしても、軍備を縮小し、防御的な性格にすることで、ジレンマを小さなものにすることはできないだろうか。実際、第一次世界大戦以降、軍縮はしばらく国際政治の主要課題とされた。国際連盟規約第八条に「連盟国は、平和維持の為には、其の軍備を国の安全及国際義務を協同動作を以てする強制に支障なき最低限度まで縮少するの必要あることを承認す」と規定され、その後は毎年のように軍縮のための国際会議が開かれた。

軍備こそ緊張の種であるという考えが生まれるのも無理はない背景があった。十九世紀の後半から、産業革命の成果が軍隊にも及び、武器の破壊力が大幅に増大したからである。この「機械による戦争」への変化を象徴するのが機関銃（文字通り「マシン・ガン」）であった。この兵器の破壊力をいち早く認識したイギリス軍のフォスベリー大佐は、機関銃のシステムが「四〇人くらいの普通の兵士が行うことのできる破壊行為を、一人か二人で行う」ことを可能にしたと述べた。実際に機関銃は、十九世紀末から二十世紀初頭にかけて先進国がわずかの兵力で植民地を征圧することを可能にした主要な武器となった。その最たる例は一八九八年のイギリスによるスーダン征服戦争であり、この時キッチナー率いる英軍はスーダン側に一万一千人の死者を出しながら、自軍の死者は四八人にとどめたのである。戦争の機械化のもう一つの象徴は、イギリスが一九〇六年に進水させたドレッドノート戦艦だった。この戦艦は五〇〇〇トンの装甲、一二インチ砲一〇門、二一ノットの速力をもち、それまでの戦艦を役に立たないものにした。この戦艦の発明は英独間でいわゆる建艦競争という、典型的な軍備拡張競争を引き起こした。

こうして近代的兵器を備えた国民国家同士の戦争は、きわめて破壊的なものとなった。一九一四年に始まった第一次世界大戦は、戦争の性格がそれまでとは決定的に変化したことをまざまざと示した。それまでは、多くの国民にとって戦争は恐ろしいものではあるけれどもそれだけにロマンチックで勇壮なものであるとも考えられていた。大戦の初めには、平和に飽いていた若者はこの戦争を喜びさえした。あるイギリスの詩人が「私は戦争が好きだ。それはピクニックのようなもので、しかもピクニックのように目的のないものではないから」と書き残したが、それは例外的な感じ方ではなかった。しかし実際の戦闘は、現代戦の恐ろしさを示した。それは表1の数字が二十世紀には三〇八〇と大きく跳ね上がっていることにも示されている。戦場では大量の砲弾が消費され、突撃によって多数の犠牲が出て、しかも決着がつかなかった。たとえば一九一七年のイープルでの第三次会戦では、英軍は一二万以上の射撃兵を注ぎ込み、一九日間の予備砲撃を行って、四二八万三〇〇〇発、一〇万七〇〇〇トンの砲弾を発射した。この攻勢で獲得された土地は四五平方マイルに過ぎず、一マイルあたり八二二二人の死傷者が出たことになった。

多大の人命と物資を注ぎ込んでも戦場で決着がつかないため、戦争は軍隊の決戦場からはるかに拡大していった。相手の生産力を低下させ、継戦意志を弱めるための経済封鎖や宣伝・心理戦が重視され、潜水艦や航空機が登場して戦闘は三次元で行われるようになった。戦争は国民同士の総力戦となり、その帰趨《きすう》は戦場における軍隊の行動ではなく、軍隊を支える銃後によって決するものとなったのである。

このような経験から、軍備を削減すれば、緊張が緩和され、平和産業が強化されて、戦争の危険が遠のくという感情が抱かれたことは無理もないことであった。こうした感情に支えられて大戦直後の一九二一年から翌年にかけて開催されたワシントン会議は大規模な軍縮に成功した。会議の招請国アメリカのヒューズ国務長官は、会議の冒頭で各国が廃棄すべき総計一八〇万トン以上、六六の艦船（計画中のものも含む）を名指しし、会議の結果、米英日を中心に主力艦を削減する合意がなされた。

たしかにこの軍縮は緊張を緩和し、国家間関係を改善した。一九二〇年代のアジア太平洋の国際関係が比較的安定し、日本の幣原喜重郎《しではらきじゆうろう》外相が協調的な「幣原外交」を行うことができたのは、ワシントン会議がつくりだした雰囲気に与《あずか》ってのことだった。一般に、高水準の軍備は緊張を高め、偶発的な戦争を引き起こしかねない危険性をもつし、軍備を増強する経済的負担が国内の不満を高め、それが外国への敵対心に向かう場合もある。したがって軍縮によって平和が近づくように見える。

しかしヒューズがその演説によって「過去何世紀もの提督を合わせたよりも多くの艦船を沈めた」と評されたことは、交渉による軍縮の本質を示すものであった。交渉によって軍備を減らすことは、戦闘で相手の軍備を減らすのと同じように軍事的意味をもつのである。それゆえ国家は軍縮によって自国の安全が高められたと感じるよりも、不安感を増す場合もある。たとえばA国が一〇〇の軍備、B国が七〇の軍備をもつ時、双方が五〇ずつ軍備を減らして、A国五〇、B国二〇とすると、B国はA国との軍備の比率を以前より不利になったと感じる。逆に軍備を半分にしてA国が五〇、B国が三五にすると、A国のほうがB国との差が縮んだことに不利になったと感じるのである。

しかもある時期に軍縮合意が結ばれても、近代技術は不断に進歩し、新しい軍備が生み出される。そしてほとんどの兵器は攻撃にも防御にも使いうる(たとえば地雷は国境を守るためにも侵略地を維持するためにも使える)から、兵器の性質によって相手の意図を見分けることも不可能に近い。したがって、軍縮によってひとたび緊張が緩和されても、安全保障のジレンマの存在によって、国家は時がたつにつれ、他国の軍備の発達が自らを不利にしていると感じ、相手の動機に疑念を抱くことがしばしば起こるのである。たとえば一九三〇年のロンドン海軍軍縮条約は、このような例として挙げうる。ワシントン条約の主力艦に引き続いて補助艦の制限を図ったロンドン軍縮条約では、会議への不満からフランス、イタリアは脱落し、日米英それぞれの国内に軍縮が自国に不利になるという強い反対派を生んだ。結果的に条約は結ばれたものの国内の不満は強く、各国は規制をかいくぐろうとして相互の不信感を高めたのである。

軍縮に対する期待が高いのは、軍備に対する素朴な見方に基づいている。単純に軍縮を訴える者は、軍備を単なる破壊の道具としか見ず、その心理的、政治的作用を深く洞察していない。たしかに近代兵器で武装した軍隊が全力で戦うことは犠牲が大きすぎることは明らかであり、「今日の戦争に勝者も敗者もない、あるのは被害者だけだ」という言い方は極端だが、誤りとは言えない。第一次世界大戦以降、近代国家が互いに全面的な戦争を行うことによって得る利益よりもはるかに大きな犠牲を払わねばならなくなったのであり、そのことは核兵器の発明によっていっそう明白となった。

しかし、軍事力の全面的な行使が合理的でなくなっても、軍事力そのものの政治的意味が失われたわけではないのである。政治が決定を必要とする営みである以上、時にはある立場の者が反対する立場に対して意志を押しつけるという局面が生じる。国家の内部では、原則としてこの決定は権威づけされた権力によって正当化されるが、国際社会にはそのような権力は存在しない。それゆえ国際社会では、自らの意志を他者に押しつけ、また逆に他者から意志を押しつけられないための役割を軍事力は果たしてきた。十九世紀プロシアの軍人クラウゼヴィッツが定式化したように「戦争は一種の強力行為であり、その旨とするところは相手に我が方の意志を強要するにある」(6)。第一次世界大戦以降、国家が直接に「強力行為」に乗り出すことは困難になった。しかしそれは意志を強制するという政治目的の存在を失わせはしなかったのである。

その時に重要なのは、それがもたらしうる巨大な破壊力ゆえに、現代の軍事力が人々の心の中に恐怖を引き起こしうるということなのである。表2に示されるように、物理的な力は、他者から自らが望むものを相手の同意なしに奪うこと(強奪)や、他者が欲しいものを物理的に相手に渡さないこと(防衛)といった、物理的な作用を行う。たとえれば、鞄《かばん》を奪おうとする手を払いのけるのが防衛であり、逆に他人の鞄を奪い取る手が強奪である。しかしそれだけでなく、物理的な力は、一定の行動をとらざるをえなくすること(強制)や、相手を脅して一定の行動をとることを思いとどまらせること(抑止)という心理的な作用を引き起こすこともできる。殴りかかる構えを見せ

表2　軍事力の役割

	物理的	心理的
不作為	防衛 (defense)	抑止 (deterrence)
作為	強奪 (seizure)	強制 (coercion)

て相手に鞄を渡させることが強制であり、殴りかかってこようとする相手に反撃の構えを見せて殴りかかってくるのを思いとどまらせるのが抑止である。

近代的な軍事力の物理的破壊力が大きくなり、その使用の社会的コストが上がったことは、軍事力を大規模に使うことの意味を小さくしたが、軍事力はまさにその恐ろしさゆえに、他者に心理的影響を与える手段としてはむしろその効果を大きくした。したがって、一定の条件の下に物理的使用を限定し、かつ効果的に相手の心理に働きかければ、軍事力は「自らの意志を相手に押しつける」という古典的な政治的役割を現在でも果たしうるのである。

この軍事力の心理的側面を最も効果的に利用したのがヒトラーであった。彼は現代戦が恐るべきものであることを知っていただけでなく、彼の相手もまた戦争を恐れていることも知っていた。彼は自らの世界観を『我が闘争』（一九二五〜二七年）によって表明し、自らが常人離れした人間であるとの印象を与えた。しかし実際の外交では、ヨーロッパ諸国に対して彼の目的が正当かつ限定的であること――各国に分散したゲルマン民族を集めて民族国家を形成すること――を訴え、平和を望んでいることを強調した。各国の指導者は、ヒトラーの要求に正当性がないとは言えないし、その要求を呑みさえすれば満足するであろうが、逆にその要求を呑まなければ、自殺的な戦争すら起こしかねない男だ、とヒトラーを見なした。

一九三八年九月の有名なミュンヘン会談でヒトラーに譲歩したイギリス首相ネヴィル・チェ

ンバレンは、ヒトラーについて「彼の顔に浮かんだと見えた強固さと残虐さにもかかわらず、私には、彼が自分の言葉を守ると信頼できる人間に見えたのである」という印象を書き残しているが、それはヒトラーがチェンバレンの心理に刻みこんだヒトラー像をよく示している。ヒトラーは後に武力を用いる段階となっても、電撃戦によって相手の抵抗意志を挫《くじ》く作戦をとり、ある時期まで成功した。ここでも彼は相手の心理を読んで軍事力を使う天才だったのである。やがて彼は自らの野望の下に自滅の道を歩んだが、ヒトラーは全面戦争が意味を失った時代にも軍事力が無意味になったわけではないことを如実に教えたのである。

国際秩序の形成因としての軍事力

ヒトラーは特異な例だが、彼の行動は、軍事力は今日でも行使されうるし、行使されなくとも政治的力となるという本質を示した。現代においても、軍事的奇襲によって限定された目的——たとえば係争のある領土や天然資源の産出する土地——を強奪することが不可能なわけではない。それは一九八二年にアルゼンチンがフォークランド諸島に対して行い、一九九〇年にイラクがクウェートに対して行ったように、絶対にありえないことではない。比較的小さな利得のために軍事的な既成事実をつくり、その原状を回復するのに多大なコストがかかる場合、奇襲には合理性が生まれるのである。そしてそのことが双方に明らかな場合、軍事力を使うことなくその行使の威嚇のみによって譲歩を引き出せるという場合も考えられないことではない。

要するに、今日でも軍事力は、限定的な行使と威嚇を組み合わせて、相互に自らの意志を押しつける手段たりうるし、それゆえ心理的圧力に屈しない程度の軍備をもつことは自衛のための最低限の軍事力として必要なのである。

しかしこのことをもって、軍事力の役割が現代において変化していないと考えることも短慮である。今日の軍事力は、国際政治の秩序の中で存在し、その中で意義をもつものとなった。たとえば領土を防衛するという時、十八世紀の領域国家のように、軍事力によって一国の領土を攻撃から聖域化できるというのは幻想である。重要なのは、軍事的威嚇に屈せず、簡単に既成事実をつくられないような程度の抵抗力、すなわち抵抗の意志を担保する軍事力なのである。そのような力があることは、相手に対して勝利する力はなくとも、攻撃を思いとどまらせる抑止力となり、かつ国際政治の中で第三国からの支援を集める根拠ともなる。つまり、現代の軍事力は国際秩序の中で機能しえる存在であり、かつての領域国家のそれのように、国家を要塞化することはできない。

この点こそが、核兵器がその巨大な破壊力にもかかわらず、現代においては限定された力しかもちえない理由なのである。一見、核兵器は巨大な破壊力ゆえに明確な恐怖の対象となり、それによって抑止と強制を最も効果的に果たせるように見える。フランスのドゴール大統領がかつて「原爆をもたない国は、自らをほんとうの意味で独立していると考えることはできない」と言ったのは、この発想を表現したものと言えよう。それは、国土への侵入に対して核による報復を行うと宣言することによって、かつての領域国家のように国土を「聖域」化できる、という期待に基づいているのである。

こうした立場を論証する理論家も存在する。たとえばフランスの戦略家ガロワは一九六〇年代に「普遍的抑止」という概念を提唱したし、一九八〇年代にはアメリカの国際政治学者ケネス・ウォルツもほぼ同様の主張をなした。彼らは、おおむね次のような理由から核による自衛の効率性を説く。通常兵力はその保有に巨大な予算を必要とし、しかも技術開発によって常に更新される必要がある。そのような苦労をしてなお、通常兵力がどの程度の力をもつかについての評価は一定ではない。たとえば戦車を数多くもっている軍隊と、戦闘機を数多くもっている軍隊のいずれが強いかを尋ねても容易に答えは出ない。通常兵力にともなうこうした不確実性は、軍拡競争を引き起こしたり、逆に誤算を生んだりしかねない。これに対して核兵器をもつことは、現代ではそれほど技術的、経済的に難しいわけではない。そしていったんつくってしまえばそれ以上の破壊力をもつ必要はなくなる。核保有国が、たとえば領土への大規模な侵略や核攻撃に対しては核で反撃すると宣言しておけば、その脅しは信用されるであろう。また、核兵器が誤って使われたり、安易に使われたりした際のマイナスも明白だから、核保有国はそうでない国に比べて慎重に行動し、その分平和が保たれやすくなる。

このような論理に基づいて、ガロワやウォルツは、各国が核をもつことが、軍備競争を抑制し、領土の不可侵性を保障する効率的な手段だと主張するのである。つまり核保有は、十八世紀のヨーロッパのように、国境を不可侵にし、軍備と戦争を制限することを可能にする、というわけである。ウォルツはまさに「多ければ多いほどよいかもしれない(more may be better)」という挑発的な副題を彼の論文につけて、この点を主張した。(7) そしてこの主張は、巨大な破壊力をもち、恐怖をもたらす心理的兵器としての核の性質のある面をたしかに捉えているのである。

しかし、こうした論理はその明快さの反面、それゆえに問題を過度に単純化してしまっている。核の威嚇によって国境の不可侵性はそれほど確実に守られるだろうか。人のほとんど住まない土地に敵が侵入してきた時、核によって報復することは現実的だろうか。あるいは侵入が正規軍ではなく正体を隠した武装ゲリラの形をとった時はどうであろうか。限定的な爆撃ではどうだろうか。また、そもそも国境線が画定しておらず、係争地域での小競り合いが拡大した場合はどうだろうか。さらに、国家の生存を脅かすのは軍隊による侵略だけでなく、封鎖や経済的圧迫によっても行われうるが、たとえば国民生活に不可欠な物資の供給が絶たれた時に、核による威嚇でその供給を求めることは有効に機能するだろうか。

このように考えると、核兵器によって確実に抑止できるのは、よほど本格的な攻撃に対してだけであろう。しかしそれほど本格的な攻撃を決意している敵に対して、少数の核は有効だろうか。敵は奇襲や事前の秘密工作によって、核を使用不能にしてしまうのではないだろうか。そしてこのような不安を抱く国は、慎重に行動するのではなく、早い段階で核を使ってしまおうとするのではないだろうか。しかし核によって再び報復される危険がある時、破滅的な核使用を本当に行えるだろうか。

これらの疑問に対して再反論することは可能であろう。しかし核戦略の特徴は、考えれば考えるほど、憶測の世界に入っていくことである。現実に核兵器を用いるか用いないか、事前に確実性をもって予測できる人は誰もいない。それは究極の決断だから、事前にいくら予行演習をしていても、その場になってみないとわからないのである。確実に言えるのは、核に基づく安全保障が確実とはとても言えないことである。

もちろんドゴールが目指したように、核をもつことが政治的威信を高めることは否定できない。インドやパキスタンが一九九八年に核実験を行い、あらためて核能力を誇示したのも、いろいろな理屈はあっても究極的には政治的威信効果が大きい。しかし実際に核をもつと、さまざまなコストが生じる。今日では核兵器開発はたしかに容易になったが、核をテロや軍部の反乱分子から厳格に管理するコストがかかるし、政治指導者への心理的負担もある。また他国から警戒され、一般的に評判も悪くなる。実際、技術的に容易になったにもかかわらず、核拡散がそれほど進行していないのは、核が兵器としてもつメリットは本当はそれほど大きくない事実が基本的理由なのである。

今日、核保有によってもよらなくても、自国の領土をあらゆる攻撃から聖域化することはできず、国家の生存はその領域の内部では完結しない。ドゴールは核を保有し、軍事機構としてのNATO（北大西洋条約機構）からは脱退したけれども、条約そのものからは脱退しなかったし、西ドイツとの関係改善を積極的に進めた。それは今日では、一国の安全保障が国際的な支援をいかに得るかという政治戦略と深く結びついていることの証左なのである。

独立のための核兵器という考え方の対極に立つ例が、日中戦争の際の中国のゲリラ戦であった。この時の中国、特に毛沢東に率いられた共産勢力は、日本に対する圧倒的な軍事的劣勢にもかかわらず、ゲリラ戦の形態で抵抗の意志を示し続けて国際的に味方を増やした。不当な攻撃を受けた場合でも、まったく抵抗の意志を示すことがなければ、好意的な介入を得ることは困難である。ある程度の抵抗を続けていれば、外国から救援を受ける正当性が生まれ、また実際の介入もやりやすくなることが多い。特に相手の残虐性を訴えることは大きな戦略的意義をもつ。国際社会は、集団安全保障の理想が期待するように、いついかなる時も侵略を受けた国を救援するほど善意に満ちた世界ではない。しかし長期にわたって一定規模の国際紛争が続けば、それを放置しえない程度に国際社会は相互依存的ではある。一定の抵抗力はそのような介入を受ける保険の掛け金のようなものなのである。

ただし、ゲリラ戦が効果をもつのは特殊な政治環境にある場合に限られるし、その犠牲も大きい。主権国家として独立を担保し、国際政治の秩序を維持するために、一定程度の軍事組織をもつことが一般的な選択であろう。重要なのは現代の軍事力は国際秩序の中でその機能を発揮する政治的手段であり、国家を不可侵にしたり、他国を力によって支配したりするものではない点を認識することである。

積極的な安全保障協力

こうして今日の軍事力は、まさにその恐ろしさゆえに他に代えがたくはっきりと一国の意志を裏づける手段なのである。二十世紀の安全保障政策は、軍事力のこの作用を利用して、他国との間に望ましい秩序をつくりだす努力だった。たとえれば、それは恐怖を掛け金としたポーカー・ゲームであり、自衛権を担保する軍事力はこのゲームに参加する元手のような存在なのである。重要なのはこの元手を使って、味方を増やし、敵を減らすことである。

味方を増やすことは、伝統的な勢力均衡においても同盟と呼ばれる重要な外交上の手段であった。しかしかつての同盟はあくまでそれぞれの国家の自助を前提とした上で、戦術的に結ばれる盟約であった。しかし今日では、一般的にどの国家も完全に国土を守る軍事力をもつことはできないため、国際秩序の中で近しい存在と協力することが安全保障政策の基本となっている点でかつての同盟とは性質を異にしている。

国際政治の中で部分的な協力や連合をつくるという考え方は、普遍的な集団安全保障を目指した国際連盟規約や国際連合憲章においては否定的に扱われた。しかし実際には、地域的集団安全保障とか、地域的取極、集団的自衛権というさまざまな言葉で表現された安全保障協力が実際的に発達し、今日では最も一般的な安全保障政策となったのである。それはこうした政策が現代の国際政治の状況に最も適合していることを示している。

こうした協力のあり方を最も重視したのは大国ではなく、小国であった。その最初の事例は、東欧の新独立国、チェコスロヴァキア、ルーマニア、ユーゴスラヴィアの間で一九二〇年から二二年にかけて結ばれた一連の同盟、軍事協定であった。これら諸国は第一次世界大戦の敗戦国のハンガリーやオーストリアが領土復活を図ることを恐れて、「小協商」と呼ばれる同盟を結んだのである。「小協商」結成の推進者はチェコスロヴァキアの指導者ベネシュであった。彼は国際連盟に対して、これらの条約は防御的なものであり（条約は「挑発されざる攻撃」に対して相互援助をなすことを約していた）、かつ連盟の平和維持、国際協力の意図を補完するものであるとして、規約第二十一条の規定を改正し、正式に連盟の安全保障体制の中に位置づけることを求めたのである。彼の求めた改正は実現されなかったけれども、主張そのものは否定されなかった。その後も多くの同盟、相互援助条約が締結された。ヒトラーのドイツに対して英仏が宣戦しえたのも、英仏がポーランドと結んでいた相互援助条約を理由にしてであった。

相互援助と並んで実行されたのが、地域的レベルでの集団安全保障体制を実現する体制であった。その典型はヨーロッパの安全保障のために一九二五年にスイスのロカルノで結ばれた諸条約である。それは、第一次世界大戦後の仏独の対立関係がヨーロッパ全体を不安定にしている状態について、国際連盟では有効に対処しえないことを認めて生み出された体制であった。同年三月に連盟理事会にイギリスが提出した「バルフォア覚書」の末尾の次のような言葉がこの体制の背景にある考え方をよく示している。「現下の状況に対処する最善の方法は、連盟と協力し、規約を補足するために、特別の必要に対応する特別の協定を作ることである。この協定は完全に防衛的なものでなければならない。……こういった目的は、最も直接的な関心を有し、それらの間での相違が紛争の再燃につながりかねない諸国を、恒久的な平和の維持という目的のためだけに作られた諸条約によって結びつけることによって最も適切に実現されるであろう」。この考えにドイツやフランスも賛成し、この年の秋にロカルノ体制が構築されたのである。その中核は、フランス、ドイツ、ベルギーの国境維持と相互不可侵とラインラントの現状維持を各国が誓約し、それを英伊が保障する条約であった。それは、伝統的な勢力均衡政策の要素と地域的な集団安全保障の要素をあわせもつ体制であった。重要なことは、関係国すべてがこの取極に強い利害をもっていたことである。それが国際連盟の集団安全保障体制とは異なる重要な点であり、この取極が破られた際に実効的な反撃が行われると信頼できる根拠でもあった。

国際連合憲章を制定する際にも、集団的自衛権や地域的取極といった制度は、集団安全保障の理念に反するがやむをえない妥協として認められた。憲章第五十一条では「この憲章のいかなる規定も、国際連合加盟国に対して武力攻撃が発生した場合には、安全保障理事会が国際の平和及び安全の維持に必要な措置をとるまでの間、個別的又は集団的自衛の固有の権利を害するものではない」と規定し、第五十二条では「この憲章のいかなる規定も、国際の平和及び安全の維持に関する事項で地域的行動に適当なものを処理するための地域的取極又は地域的機関が存在することを妨げるものではない」と規定したが、いずれも安保理による集団安全保障を補完する二次的な制度と位置づけられていた。しかし現実には第二次世界大戦後の安全保障体制は集団的自衛と地域的取極を基本とすることになった。北大西洋条約機構、ワルシャワ条約機構、日米安保条約、中ソ友好同盟相互援助条約はいずれも集団的自衛の体制である。また、西欧同盟、米州相互援助条約などは地域的取極としての性格が強い。それらが冷戦という特殊な国際環境によってできあがった面はたしかにあり、冷戦の終焉《しゅうえん》によって東側の集団的自衛体制は崩壊した。しかしその後、旧東側国が西側の同盟に加わったり、新しい地域的取極が結ばれたりする状況を見ると、集団的自衛や地域的取極の重要性は変わっていないと言えよう。

もちろんしばしば指摘されるように、相互援助や地域的取極には、自らが望まない対立に「巻き込まれる」危険と、助けてほしい時に助けてもらえない「見捨てられる」危険が存在する。その時に国家の「元手」としての軍事力が重要な意味をもってくる。それは「見捨てられ」や「巻き込まれ」のリスクに対する一種の保険として作用し、自らの意志を裏づけて、他国に影響を与える道具となるのである。

消極的な安全保障協力

軍事力はまた、敵を減らすための手段ともなりうる。それは、相互援助や地域的集団安保という積極的な安全保障協力に対して、消極的な安全保障協力と呼びうるであろう。その具体的方策として軍備管理や信頼醸成措置を挙げることができる。

軍備管理とは、軍備の削減を第一義的な目標とせず、軍事的関係を安定させることで緊張を緩和させようとする政策である。こうした考え方は冷戦期にアメリカを中心に整理され、米ソの軍縮交渉を規定する基本的な考え方となった。その典型は、一九七二年に締結された弾道ミサイル迎撃ミサイル制限条約（ABM条約）と第一次戦略兵器制限協定（SALT-I協定）に見ることができる。これらの協定は、米ソがすでに大量の核兵器を保有し、その破壊力が飽和状態となったと認識されたことで可能となった。それは恐るべき状態ではあるが、米ソの間に対立があるかぎり、その状態を根本的に変えることはできない。可能なのは、お互いが確実な報復力をもつことで相互に攻撃を抑止し、米ソの関係を安定させ、緊張を緩和する基礎をつくることである。この状態をアメリカの国防長官マクナマラは相互確証破壊（Mutual Assured Destruction）と呼び、それはやがてMAD（「狂気の」）と揶揄《やゆ》的に略されるようになった。実際、お互いが確実な報復力をもつことによる抑止とは、米ソが相互の国民を人質とした平和ということに等しく、野蛮な手段による安全保障であるとの批判は当たっていた。しかし明白な恐怖に頼ったその野蛮さゆえに、MADは世界観を異にする米ソの関係に一定の安定をもたらしえたのである。

SALT-Iそのものは暫定的な合意だったし、一九七〇年代末に次第に米ソの対立が深まるのを抑えることはできなかった。しかし現状から出発して、相手への部分的信頼に基づく自発的合意と監視手段を組み合わせることが緊張緩和につながるという点では、米ソ間の軍備管理は大幅な軍縮よりも安定をもたらしたと言える。相互確証破壊という構造が基本的に変わらなかったことが八〇年代中頃の米ソの対話再開のきっかけとなり、両国関係が大幅に変わって初めて、本格的な核兵器の削減に手がつけられるようになった。その場合でも、戦略的安定を前提にした軍備管理が常に基本とされた。

次に、信頼醸成措置とは、潜在的敵対国の間で誤解や誤算による戦争が起きることを防ぐため、相互の軍備に関して情報を交換ないし公開して緊張緩和を目指すものである。たとえば、一九五〇年代にアメリカがソ連に対して提唱し、九〇年代になってようやく実現した「オープン・スカイ」提案は、空中からの査察を相互に認めることで緊張を緩和しようとした点で信頼醸成措置の一例と見ることができる。一九七五年のヨーロッパ安全保障協力会議（CSCE）で採択された「ヘルシンキ宣言」では、東西の軍事演習の通告・査察、軍事演習へのオブザーバー招請などの信頼醸成措置が盛り込まれた。また、アジア太平洋地域でも、ASEAN地域フォーラム（ARF）を中心に各国の安保対話・軍事担当者交流の促進等の信頼醸成措置が重視されている。これは、従来は秘匿されていた軍事情報を相互公開することによって、軍備削減よりも緊張の緩和を優先させる政策であると言えよう。それはある国の軍備がその国の意図にかかわらず他国に脅威感を呼び起こすものであるという「安全保障のジレンマ」を緩和する働きをする。もちろん、各国が軍備の全貌を公開することはほとんど期待できないし、相手の意図を完全に信用することもありえない。さらに、たとえば今日の中国と台湾、インドとパキスタンのように、対立が明白な場合、情報を公開しても軍事的緊張はあまり低下しない。その意味で信頼醸成には限界がある。しかしそれは過剰な緊張の激化を抑制する効果をもちうることは確かである。

したがって、二十世紀の後半に安全保障に対する考え方は次のように発展したと要約することができる。まず安全保障のジレンマが解きがたい矛盾であることを認め、主権国家体制を根本的に変えようとする努力をあきらめた。次に現代の軍備がもたらす恐怖を率直に認め、それを制度化していくことで、国家間にある程度の秩序をもたらそうとした。

冷戦の後半期になってこうした安全保障政策はかなり定着した。冷戦を一種の「体制」として捉える見方が次第に広まり、八〇年代の中期には冷戦史研究の第一人者ジョン・ルイス・ギャディスが冷戦を「長い平和」と特徴づけるまでに至った。[8] しかし冷戦の「体制」化は皮肉な結果をもたらした。冷戦はまさに安定することによって、恐怖が緩和され、安定の基礎を弱める結果になったのである。しかし冷戦体制を崩壊に導いたもう一つの要因として、宇宙時代がもたらした文明的転回を挙げねばならない。この転回は、安全保障についての考え方も大きく変換するものだったのである。

3 「仮想の地球社会」と内なる恐怖

有機体的世界と安全保障

「仮想の地球社会」をもたらした文明的転回は、それまで「外へ」指向してきた近代文明の方向に、「内へ」向けられた視座を与えた。そしてこの変化が顕著に現れているのが、安全保障の捉え方なのである。

近代以来、人間社会から恐怖を除去することが、安全保障の基本的手段とされてきた。言い換えれば、恐怖を外へと追い出し、柵を設けて内部への侵入を阻止することこそが安全保障だと理解されてきた。それは近代の機械的、工学的精神に合致していた。しかし、人類社会の一体性を意識するようになった宇宙時代には、恐怖を外部化し、排除することは基本的にできなくなった。今日の安全保障は、あたかも人類社会を一つの生命体と見なし、その健康を保つという、有機体的発想に近づいてきたのである。

実際、安全保障の追求と医学の歴史的発展には興味深い並行関係がある。近代医学は、病気の原因をつきとめ、除去することを目標として発達した。近代医学の典型は、病原体を発見し、それを駆除することだったのである。そしてこの点に関して近代医学が偉大な進歩を遂げたことは否定しがたい。しかし今日、医学の目標は病因の発見と除去という消極的なものにとどまらず、健康の維持増進という積極的なものを含むようになってきた。たとえば、一九五八年の世界保健機関（WHO）による「健康の定義」は示唆的である。それは、「健康とは、身体的にも精神的にも社会的にも完全に良好な状態をいい、単に疾患にかかっていないとか虚弱でないということではない」というものである。

この健康の定義は、現代の国際政治における「平和」の定義に驚くほどよく似ている。今日なされている多くの平和論によれば、平和とは「単に戦争がないという状態だけを指すのではなく、人々が人間として要求するさまざまな価値が満たされた状態」を指すべきだとされているからである。

目標としての平和が恐怖の排除だけでなく、このように積極的な意味内容も含むとすれば、安全保障の概念も包括的、積極的内容を含むべきだという主張がなされるのも自然であろう。一九七〇年代に日本で使われだした「総合安全保障」という考え方にも、八〇年代にヨーロッパで提唱された「共通の安全保障」という考え方にも、そうした考えを見ることができる。さらに冷戦が終焉した後、安全保障とは外敵からの安全を意味するのではなく、内部の安全の協力的増進にあるのだとする「協調的安全保障」といった概念や、積極的な意味での平和を実現するために安全保障を定義すべきだとする「人間の安全保障」といった概念が登場した。

健康や平和といった概念が包括的な形で定義されるようになったことは、有機体的世界観を反映している。しかしこのような包括的な意味での平和や安全とは、完全な健康、すなわち不老不死と同じように、一種のユートピアではないだろうか。そして「仮想の地球社会」の危険は、人類のテクノロジーが、あたかもこうしたユートピアを実現しうるかのような幻想を与える点にあるのではないだろうか。

医療におけるユートピア主義の危険は、たとえば今日では病原菌を排除することによって健康が得られるとは単純に言えなくなったことに示されている。安易にある種の病原菌を殺すことは、やがてより強力な病原菌（耐性菌）を生み出す危険をもっていることが知られるようになってきたからである。もちろんこうした耐性菌に対して新たな薬を開発することは理論的には考えられるが、その追求は無限に続きそうである。のみならず、現代医学の高度な発達は、医療ミスの危険も高めるし、また、クローン医療や安楽死といった倫理的難問を生み出してもいる。

同様に、今日のテクノロジーが完全な平和と安全を実現可能と思わせるところに危険がひそんでいるのではないだろうか。高度な監視システムを世界中にはりめぐらし、法と正義を普遍的に執行することは技術的には不可能ではないように見える。しかしそれは、人間の多様性と抵抗力を軽視し、また、テクノロジーのもたらす脆弱《ぜいじゃく》性や倫理的問題の大きさを十分に考慮に入れていない考え方ではないだろうか。今日の主要な安全保障上の課題は、「仮想の地球社会」化がもたらすユートピアの追求が、現実社会との乖離《かいり》を深めている点にあるのではないだろうか。具体的な問題として、テクノロジーの危険とテロリズム、軍事力の地球的拡散、主権国家が機能しない地域の問題を挙げることができる。

「魂なき専制」の危険――テクノロジー支配とテロリズム

軍事技術は常にその時代の世界観、技術の方向を反映する。軍事技術の進歩の方向は一九六〇年代から大きく変わった。それまで武器は破壊力の巨大化を指向していたのだが、原水爆の開発によってその指向は限界点に達した。それ以上の破壊力には意味がない、という段階に達したのである。それ以降の軍事技術は、誘導や制御、通信といった広義のネットワーク技術によって、正確に目標を攻撃する技術の競争へと向かいはじめた。それは人類を生物に見たてた時、できるだけ損傷を小さくして外科手術を行う技術に似ている。このような兵器体系の中では、大量破壊兵器の意義は低下する。一度使ってしまうとその政治的、軍事的影響が見通せない兵器よりも、正確かつ迅速に目標に達することで軍事的効果をもつ兵器のほうが重要になってきたのである。

冷戦の後半にはすでに、今日のハイテク兵器につながる精密誘導兵器の重要性が示されるようになってきた。一九六七年の第三次中東戦争において、イスラエルの駆逐艦エイラートはソ連製の対艦ミサイルによって撃沈されたが、それはミサイルが駆逐艦のような小さな目標を正確に狙える能力を最初に示した事例であった。その後、ベトナム戦争でアメリカが誘導弾を使用し、一九七三年の第四次中東戦争でシリアとエジプトがソ連製の地対地ミサイルFROGをイスラエル基地に使用してかなりの被害をもたらした。

八〇年代の米ソの対決においても決定的だったのは精密技術だった。ソ連はアメリカを上回る核兵力をもっていたが、宇宙に配備される兵器体系を含めたレーガン政権の戦略防衛構想にはまったく追いつくことができなかったのである。冷戦終焉後には、ハイテク兵器の重要性は否定しがたいものとなった。アメリカが中心となって構築した宇宙空間に配備された衛星、情報能力を備えた海空陸兵器、携帯情報通信機器を備えた兵士などを一体的に運用する軍備体系が従来型の軍事力に対して圧倒的な力をもつことは、湾岸戦争、旧ユーゴスラヴィアでの武力行使、二〇〇一年の対アフガニスタン作戦で明白となった。こうした兵器体系は、短期間に集中して敵の防御体系を破壊し、戦闘継続を可能にする社会の諸部分に集中して攻撃を加えることができる。そしてその際、自軍への被害はもちろん、敵の民間人ないし一般兵士への被害も抑えて、降伏を促すとともに、攻撃に対する政治的支持の獲得を図るのである。湾岸戦争では多国籍軍の人的被害は五〇〇名程度であったのに対し、イラク軍のそれは五万人に近かったと推定されている。一九九九年の対ユーゴスラヴィア作戦ではNATO軍の損害は航空機二機だけであった。対アフガニスタン作戦では、無人偵察機、特殊爆弾、情報機器を装備した特殊部隊を投入し、地続きのソ連が一〇年をかけて制圧できなかった国の政権を、地球の裏側のアメリカは三ヵ月足らずで崩壊に追い込んだのである。こうした一連の兵器体系の進化を指して九〇年代には「軍事革命（revolution in military affairs＝RMA）」という言葉がさかんに使われるようになった。

こうした新しい兵器体系は、人類社会の神経系を制御する力にたとえられるだろう。まさにそれは「仮想の地球社会」を支配する力であり、物理的、精神的な損傷を最小限に抑え、軍事力の行使に不可避的にともなう恐怖の要素を抜き去った軍事力と言えるだろう。カフェインを除去したコーヒーのようなものである。二十世紀の前半には物理的破壊力の肥大化した軍事力がその機能を心理的な抑止と強制に特化させたのに対して、今度は少量の破壊と恐怖しかともなわずに行使できる軍事力が優越するようになったのである。

人間はこれまで、力と秩序の間の相克に頭を悩ませてきた。暴力の恐怖を避けるには、秩序をつくり、特定の力を権威づけるほかない。しかし権威づけられてはいても、力の行使が過剰なものとなる時、秩序は崩壊する。この相克を今日の「恐怖なき軍事力」は克服できるだろうか。

たしかに恐怖なき軍事力は破壊をともなう軍事力よりも正当化されやすく、しかも必要な範囲に限定して用いることも可能となった。しかし逆に、恐怖なき力が繰り返し行使される時、権威や秩序の中の人間的要素は衰えていくのではなかろうか。最先端の軍事力でも誤爆による被害は避けられないし、力の行使は人々の心に大きな緊張をもたらす。そのような緊張が繰り返されると安易に力に訴える風潮が強まる。そして何よりも、秩序の根幹がテクノロジーに依存していることが明らかになればなるほど、権威の本質である畏敬と受容の観念は薄れるだろう。

この意味で現代社会においてテロリズムが横行しつつあることは重大な徴候である。日本のオウム真理教教団によるサリンガス使用、アメリカのオクラホマ市連邦ビル爆破、二〇〇一年九月十一日のアメリカでの大規模テロなど、殺傷性の高いテロが先進国で起きるようになった。テロリストの動機はさまざまだが、問題は破壊行為に訴える精神的敷居が低くなり、また、破壊行為のための手段と機会が拡大していることにある。テクノロジーの普及によって自由な社会では少数の人々が容易に破壊的手段を手に入れ、テロ行為を実行に移せるようになった。そしてテクノロジーによって生活が円滑に運営されるようになればなるほど、破壊行為によってもたらされる衝撃の効果は大きく、注目を集める。テロ研究の第一人者、ブライアン・M・ジェンキンズが「テロとは演劇である」と指摘したように、テロとは破壊そのものが目的なのではなく、恐怖を広め、既存の秩序の権威を弱めようとする行為なのである。そしていったんテロが広まりはじめると、それへの対処はきわめて難しい。テロに対して弱腰であることは秩序の権威を弱めるが、逆にテロに対する反撃が人々を制約し、また人々の目に過剰と映ると、それもまた秩序の権威を弱めてテロの目的を実現することになるのである。テロは社会のガンのようなものであり、ガン細胞を除去する必要はあるが、それが正常細胞に転移しないように孤立化させ、「手術は成功したが、患者は死んだ」という状態に陥らないことに配慮せねばならないのである。

ここで、近代国際政治の知恵を見直すことには意味があるのではないだろうか。近代では暴力の正当な担い手を主権国家に限定した上で、主権国家による戦争は完全に避けることができないにせよ、その原因や態様を制限し、戦争が社会に及ぼす影響をできるだけ少なくしようとしたのである。こうした考え方は正戦論（just war theory）と呼ばれる。それは大義を掲げた戦争を肯定する議論と誤解されがちだが、正戦論の本来の意図は、主権国家の間に秩序をもたらすためには時に力の行使が不可避であることを認めつつも、その範囲を限定しようという考え方なのである。正戦論は十九世紀には主権国家以外に戦争の正否を判定できる存在がないと考えられて尊重されなくなったが、二十世紀になると戦争の一般的違法化の代わりに自衛や集団安全保障の武力行使が法的に正当化されるなど、新しい形で復活した。今日においても、国際秩序を維持改善するためにやむをえない範囲で武力行使が正当化されるとすれば、正戦論の議論が示唆を与えるであろう。武力行使の濫用がなされないよう、法的、政治的にできるかぎり正当性を獲得する努力がなされることが重要だし、また武力行使の態様も必要最小限に限定される努力が必要なのである。

もちろん正戦論の限界は明らかであるし、そのことは意識され続けなければならない。主権国家体制が続くかぎり正戦論が濫用される危険は尽きない。それは世界政府の下で保たれる平和に比べて間違いなく不十分なものである。しかしドイツの哲学者イマニュエル・カントが十八世紀末に警告したように、世界政府は「魂なき専制」に陥るという別種の危険性をもつ。今日のテクノロジーの発達は「仮想の地球社会」を生み出し、恐怖なき力、支配なき秩序というユートピアが実現可能となった印象を与える。しかし政治を営む主体が人間であるかぎり、そこには恐怖や支配が不可避的につきまとうことを忘れるならば、ユートピアが「魂なき専制」に陥る危険も大きいと言わねばならない。

軍事力の地球的拡散

今日の世界の安全保障における第二の問題は、軍事力の拡散、特に発展途上国のそれであ

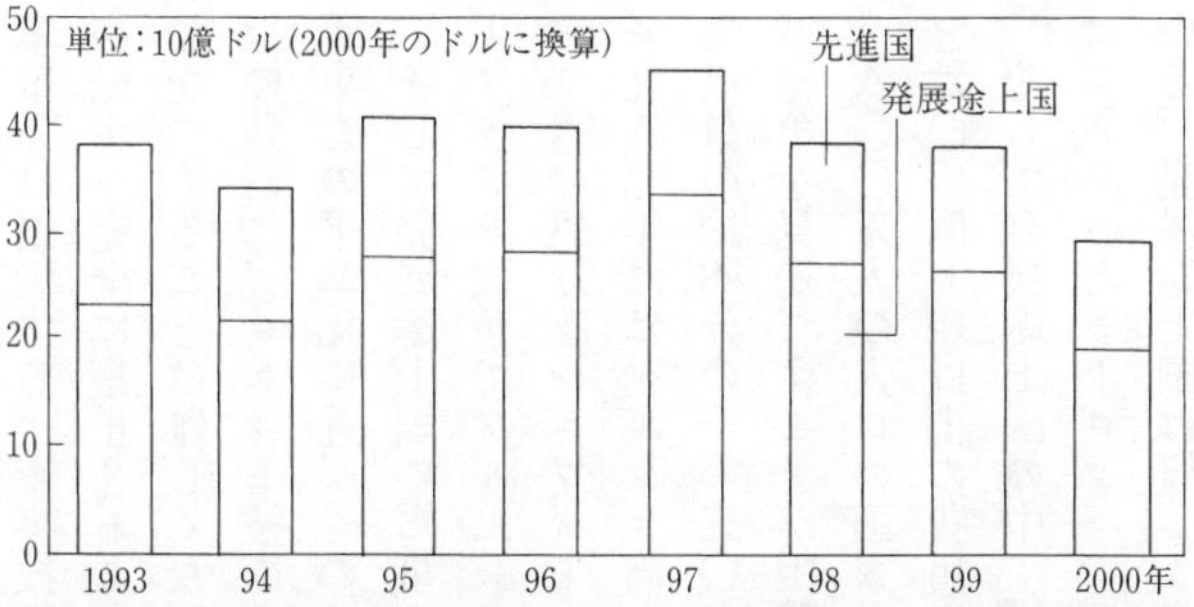

CRS Report for Congress, Conventional Arms Transfers to Developing Nations 1993–2000, P.31

図4　武器輸出：先進国向けと発展途上国向け(1993〜2000)

る。二十世紀の最後の四半世紀の間に、発展途上国のいくつかの国家がもつ軍事力が破壊力を増し、国際政治にとって無視できない存在になった。

その背景にはまず、軍事的、技術的要因がある。第一に、先進国は冷戦後半期にさまざまな動機から発展途上国に武器を輸出・援助した。武器の売却・援助、あるいはライセンス生産による供与は、同盟に準ずる政治的友好関係を裏づける最も有効な手段だったからである。少なくない発展途上国も、冷戦の中で巧みに先進国から援助を引き出すことに成功した。冷戦が終焉した後、世界の武器貿易の総額はやや減少したが、それは武器が買い手市場になったことも意味している。そして世界の武器移転の過半は、資源輸出や経済の高度成長によって外貨を獲得した発展途上国に向けて行われているのである(図4参照)。

第二に、ある国の産業水準の向上によって、その国の軍事力は増大する。軍事技術はかなりの程度、民生技術と重なる両用技術であって、軍事への転用を完全に禁止することは困難である。初歩的な化学技術がある国家なら強力な化学兵器をつくることは難しくないし、医療技術の発達は生物兵器の開発能力に、原子力発電技術は核兵器に、ロケット技術はミサイルに結びつきうる。したがって発展途上国の産業化は、軍事力の平準化に近づくのである。

そして発展途上国の軍事力の集積は先進国にとっても脅威となりうる。一九八二年のフォークランド戦争でアルゼンチンが使用したフランス製の対艦ミサイル・エグゾセによってイギリスの駆逐艦シェフィールドが撃沈された他、八隻の艦船が誘導兵器によって破壊された。一九八七年にはペルシャ湾を警戒中の米艦スタークがイラクの対艦ミサイルの誤射によって乗組員の約四分の一の五〇名以上の死傷者を出した。先進国が直接の当事者でなくとも、地域紛争を見過ごすことが困難な場合もある。イラクのクウェート侵攻は結局湾岸戦争に至り、一八〇〇万人の人口の国家を二〇〇〇万人の国家から撤退させるのに、三〇ヵ国からなる軍隊と六〇〇億ドル以上の費用を必要としたのである。

そして発展途上国の中で軍備強化に強い関心をもつ国家は少なくない。冷戦後、防衛支出はアメリカとヨーロッパで減少し、中東、アフリカ、アジア・オセアニアで顕著に増加している。発展途上国は概して先進国よりもＧＤＰ（国内総生産）の高い比率を軍備に振り向け、中東諸国にはGDPの一〇パーセント前後を軍事費に振り向けている国が少なくない。また、発展途上国の多くでは軍部の政治的影響力が強く、兵器が国内治安のために用いられることもある。そのメカニズムをK・J・ホルスティのいう「国家強度のジレンマ」という概念で説明することができよう[9]。国家は本来、社会から資源を獲得し、一定のサービスを行うことで統治の正当性を獲得する。そして強い正当性をもっている国家ほど、直接的な収奪によらず、間接的な方法（たとえば税収）で資源を獲得できる。しかし発展途上国ではしばしば支配の正当性が確立しておらず、国家は直接的な収奪に訴えて資源を獲得せざるをえない。しかしこれは国民の反撥を招いていっそうの抑圧をもたらすだけでなく、社会の活力を失わせて獲得できる資源も先細りとなっていく。このようなジレンマに陥っている発展途上国は、軍事力の強化に行き詰まりを打開しようとする傾向をもつのである。

さらにもう一つの政治的問題は、発展途上国の対外観である。発展途上国の国家や主権についての観念は近代ヨーロッパのモデルに基づいている。前章に見たように、近代国家や主権概念が登場した近代ヨーロッパでは、中世の普遍的権威を否定する意識が強かったために、理論家は国家の独立性や主権の絶対性を強調した。しかし実際には、近代ヨーロッパではさまざまなつながりをもつ複数の主権国家が存在し、その間で調整を図る感覚、言い換えれば主権国家体制に基づいて国際共同体としての性格を強める要素が暗黙の前提として存在していた。一方、非ヨーロッパ世界では、こうした近代ヨーロッパ政治の実際的側面への理解は少なく、過去の植民地化や圧迫の経験もあって、国家の独立や主権の絶対性を主張する傾向が強い。そして近隣諸国との関係でも、近代ヨーロッパのような国家を越える紐帯をもたない場合がほとんどである。したがって、地球上の多くの地域では、主権国家が相互的に国際秩序を強化していく傾向は弱いのである。

こうした軍事力の地球的拡散に対抗する一つの手段は、グローバルな軍備管理である。実際、国際社会は数え切れないほどの軍備管理に関する取極を行ってきた。核拡散防止条約(一九六八年署名、七〇年発効)、生物兵器禁止条約(一九七二年署名、七五年発効)、化学兵器禁止条約(一九九二年署名、九七年発効)、一定の射程のミサイルの移転を抑制するミサイル貿易制限レジーム(MTCR)、核物質の移転を制限するカットオフ条約などの大量破壊兵器の規制に加えて、先進国からの一定の技術移転を監視するワッセナー協約、武器取引を公開する国連軍備登録制度(一九九二年発足)、対人地雷禁止条約(一九九七年署名、九九年発効)、小銃、機関銃などの小火器の規制も検討されている。

しかし問題は、こうした取極の実効性である。軍備を増強する意図のある国家ほど、こうした取極を遵守して厳しい査察に甘んじる可能性は低い。大規模な国際会議と査察のための詳細な手続き、監視のための国際機構をつくっても、焦点となる国家に対して実効的な措置をとれないことが一般的である。真に実効的措置をとろうとするなら、強力な情報収集能力をもつ先進国が強制的な査察やひいては軍事力の行使によって武装解除するしかない。しかしそうした行為は法的に正当化されるだろうか。国際規範を破り、軍備を強化する国家を「ならず者国家」と判定し、自国の軍事行動を正当化することは、主権国家の平等という基本原則を犯す危険をはらんでいる。特に今日、軍備の拡散国の大半が発展途上国であることは、これら諸国に強制的な査察を行い、場合によっては軍事的強制手段に訴えることが植民地支配の再来を思わせ、北と南の対立といった図式に導きかねない。

結局、地球規模で進む軍備の拡散に対する単純な解答はない。一般的には、軍備増強を抑制する国際規範を強めることが望ましい。しかしそうした国際規範は、発展途上国の国内体制を改善して「国家強度のジレンマ」からの脱出を容易にし、同時に、地域ごとの国際秩序を強化して、相互に安全感を高めることで軍備増強のインセンティブを減らしていくほかない。それでも時に、「ならず者国家」に対する武力強制が行われる可能性を完全に排除することはできない。ただ、できるだけそうした行動を一般化しないでおく配慮が必要である。世界が分裂し、あるグループと別のグループが対抗しあうようになれば、世界の軍備増強がいっそう加速されることが見込まれるからである。

主権国家体制が軍備の恐怖をはらみつつ、それと共存していかざるをえないという性質は

表3　1816～1997年の「内戦」の頻度と過酷さ

	開始された「内戦」の数	戦死者
1816～48	12	93200
1849～81	20	2891600
1882～1914	18	388000
1915～45	14	1631460
1945～88	60	6222020
1989～97	103	1740000

Charles W. Kegley, Jr. and Eugene R. Wittopf, *World Politics: Trend and Transformation,* 7th ed., p.368より抜粋

今日でも変わっていない。しかしそれでも、主権国家が存在することは、十分に国家が機能していない地域よりもましなのである。そのことは、今日の世界において最も激しい闘争が内戦の形で行われていることが示している。

内戦と平和維持活動

今日の武力紛争の主要な形態は内戦である。ストックホルム国際平和研究所（ＳＩＰＲＩ）によれば、二〇〇一年に一〇〇人以上が殺された紛争は一五あり、そのすべてが国内で起きたものだった。[10] しかもそのすべてに外国勢力が関与し、一一は国境を越え、また同じく一一が八年以上継続している。今日では内戦は国際化し、長く続く。

実際、旧ソ連やバルカン、アフリカ各地での残虐な紛争は、冷戦終結と湾岸戦争後に一時期抱かれた期待を吹き飛ばした。旧ユーゴスラヴィアの紛争では「民族浄化」が報じられ、ルワンダの紛争では一ヵ月に五〇万人が殺戮《さつりく》されたとされている。ただし内戦は近年目立つようになったが、二十世紀を通じての基本的な戦争形態の一つであった。表3が示すように、

第二次世界大戦以降このタイプの戦争の数は急増しており、冷戦が終焉した後にはいっそう増大する傾向にある。

こういった紛争の残虐さは、殺傷性の高い兵器が使われるからではない。軍事用語では「低強度紛争（low-intensity conflict）」という言葉が使われることがあるが、これは兵器の殺傷力による分類である。そして使用される武器の殺傷力が小さいのに、犠牲者の数が大きいのは、暴力紛争の本質は政治的、人間的闘争にあり、武器にあるのではないということを示している。内戦はひとたび始まると、激烈となり、終えるのが難しい。国家間の戦争であれば、双方「痛み分け」で終えることもできるが、国内の武力闘争では、和平後に弱い立場に立つ者はどのような徹底的な追及を受けるかわからない。支配権を握るか、従属的地位にとどめおかれるかではその後の運命に大きな差があるから、中間的な妥協の余地が非常に小さく、内戦は徹底したものにならざるをえない。

二十世紀を通じて内戦が暴力的紛争の主要な形態となった背景には、非西洋世界が西洋世界に生まれた主権国家体制に組み込まれた衝撃が根本にある。第一次世界大戦期から一九六〇年代頃までは、内戦は宗主国に対する反植民地独立闘争が主で、時にそれにイデオロギー対立が加わって戦われた。特にアジアにおいては、中国や朝鮮半島、ベトナムにおいて両者は重なり合いながら進行し、アジアでの冷戦が武力紛争化する理由となった。

しかし一九六〇年代に大半の植民地が独立した主権国家となると、民族独立闘争の波は終わった。にもかかわらず、内戦は世界の一部ではより深刻な徴候を見せるようになった。そこにはもちろん東西冷戦の要因も絡んでいた。一九七六年、ソ連共産党は第二五回共産党大会で、民族解放闘争を支援し帝国主義打破を目指す第三世界の闘争を支援して、第三世界に積極的に介入する方針を採用した。この方針に従って、ソ連はアフリカではアンゴラ、エチオピア、中米ではニカラグア、東南アジアではベトナムで紛争に関与し、最終的には七九年にアフガニスタンに直接、軍事介入することになった。アメリカもこれに対抗して内戦に介入した。

こうした経緯は、大国が自らの勢力を拡張するため、小国で内戦を引き起こし、代理戦争を戦わせたかのように見える。大国にそのような動機があったことは否定しえないが、冷戦が終焉していっそう内戦が混迷の度を加えている今日、そうした見方は誤っていたと言えるだろう。内戦は別の理由で起こり、そこに自らの介入の機会と相手による介入の危険を見た大国が、先を争って介入したのである。

冷戦の後半期から頻発するようになった内戦の原因は、次のように考えることができるだろう。まず初期条件として、新興独立国の多くは「国家強度のジレンマ」を抱えており、形式的に主権国家としての独立を獲得しても、実態的に自律的な国家としての体裁をもっていなかったということである。新興独立国の多くは植民地体制下で養成されたエリート民族主義者が指導して植民地支配体制から統治機構を引き継いだが、異なる民族を抱えることが多く、国民としての一体感は欠如し、国民国家としての実質を欠いていたのである。

そこに「仮想の地球社会」化の波が押し寄せた。ただでさえ弱かった新興国の国家的統一は大いに揺さぶられた。経済的には市場の激しい変動にさらされ、国民経済を構築するよりも前に世界市場に統合されるようになったし、文化的には国民を構成する諸民族が、それぞれ国境を越えて情報を交換し、民族的自覚を強めた。さらに軍事的には武器市場が次第に成立し、小火器等の武器が発展途上国に流れ込んだ。これらの原因によって、いくつかの発展途上国で、少ない国家資源をめぐる対立が激化して国家は破綻《はたん》状況に陥り、内戦が勃発《ぼっぱつ》したのである。

こうして、民族的、文化的、宗教的背景をもった内戦が七〇年代から顕著となった。その最初のものは、カンボジア内戦とそれにともなうインドシナ地域の紛争であった。ベトナム戦争に巻き込まれたカンボジアでは、毛沢東主義を奉じるポル・ポト政権が成立した後、民衆を大量虐殺し、ベトナムがカンボジアに侵攻、中国はカンボジアを支援し、さらにソ連が中国に対抗してベトナムを支援した。一九八〇年代からさかんとなったナショナリズム研究の古典の一つ、ベネディクト・アンダーソンの『想像の共同体』は、まさにこの紛争に触発されて書かれたものである。アンダーソンによれば「これらの戦争〔ベトナム、カンボジア、中国の間の戦争〕は、それが独立性と革命性について疑う余地のない体制同士のあいだで起こった最初の戦争であり、しかも交戦当事国のいずれもこの流血沙汰《ざた》をマルクス主義特有の理論的観点から正当化しようという試みをなんら行っていないという点で、世界史的意義をもっている」のであった[11]。

同じ時期にもう一つの世界的衝撃を与えたのは、イスラム世界の変化、なかんずくイラン革命とソ連のアフガニスタン侵攻だった。革命前のイランは国王(シャー)の下に、近代化路線を追求していた。アメリカはイスラム諸国内に友好国を育成するため、イランを積極的に支援した。しかしシャーは独裁的傾向を強め、秘密警察SAVAKによる強権統治を行いながら、政権への抵抗を強めたイスラム勢力を弾圧し、上昇した石油収入を元手に近代化路線を加速し、イスラム以前の古代ペルシャの栄光にイランのアイデンティティを求めようとさえした。この路線は一見成功しつつあるかのように見えたが、その陰でインフレとともに貧富の差を拡大し、社会は混乱してシャーは強権以外に頼る存在を失った。七九年一月には国内の騒擾《そうじょう》は手がつけられないほど高まり、シャーは出国、二度と帰国することはなかった。一九六三年から亡命中のイスラム指導者ホメイニは、シャーへの抵抗のシンボルとしてイラン国内でビデオなどを通じて強い支持を獲得し、圧倒的な民衆の歓呼の中に帰国してイスラム共和国の成立を宣言した。

イランの隣国アフガニスタンでも混乱が危機的状況に至っていた。一九七三年までこの国は比較的安定した王政を営んでいたが、近代化路線をめぐって対立が強まり、同年国王（ザヒル・シャー）がイタリア外遊中にクーデタによって王政は廃棄された。その後も政治は安定せず、七八年、社会主義的な人民民主党がクーデタを起こし、タラキ政権が成立した。同政権は急進的な土地改革とイスラム弾圧に乗り出したが、イスラム勢力は反撥し内乱状態に至った。ソ連は当初タラキ政権の穏健化を図ったが、やがて七九年十二月には自ら武力侵攻することを決意し、タラキ政権を見限ってカルマル政権を成立させたのである。しかしソ連の支援を受けたカルマル政権はアフガニスタンを支配できず、内戦状態となった。

アメリカが準同盟国イランを失い、ソ連が結局アフガニスタンから撤退を余儀なくされたことは、東西対立が国際政治の主要課題でなくなっていく過程を示していた。大国の内戦への関与は内戦に国際対立をもちこんだが、他面で一定の抑制効果ももっていた。だが冷戦が終焉していくにつれて、大国は途上国の内戦に積極的に関与する意欲を失っていった。

しかも、やがて「仮想の地球社会」では、地球のどこかで行われている激しい暴力沙汰を無視することはできないことが明らかとなってきた。第一にメディアが暴力の残虐性を訴え、先進国の政府は世論から無関心を非難されるようになった。のみならず、内戦状態の地域もネットワークによって世界とつながっているのであり、テロや犯罪、疫病の温床として、先進国を含めた世界に大きな影響を及ぼす危険性があることが明らかとなってきた。

このように、内戦やそこから派生する地域紛争に対して、主要国は強い戦略的利益を感じないが、無視することもできない。そこで重要となったのが、国連や地域機構が主体となる関与であった。これらの機構を通じての関与は、国際社会の共通の意志という大義名分を与え、関与する側とされる側双方の抵抗感を弱めることができる。同時に集団安全保障体制の確立に失敗した国連に存在意義を与えることにもなった。

たとえば、国連の平和維持活動はこうした役割を担うようになってきた。これは国連憲章には規定のない活動で、一九五六年のスエズ動乱の際に国連事務総長ダグ・ハマーショルドのイニシアティブによって派遣された国連緊急軍(UNEF)から始まり、冷戦中は、米ソが直接に関与しない紛争で、東西両陣営ともその拡大を望まない紛争の安定化を担うものとして地味ながら一定の役割を果たしてきた。それは派遣される土地に強い利害をもたない中小国の兵員からなる軽武装の部隊で、現地の紛争当事者の同意の下、紛争への中立を前提に派遣され、停戦を国際的に権威づける目的をもっていた。

しかし冷戦終焉の頃から、国連平和維持活動は質量ともに急拡大した。一九八七年までに派遣された平和維持部隊は一三だったのに対して、その後の一〇年間には新たに三六が派遣された。平和維持活動で派遣される人員も数千人の規模から数万人の規模へと拡大し、予算は一九八七年には二・四億ドルだったが、一九九七年には三六億ドルに増加していた。のみならず、平和維持活動は消極的な平和維持としての停戦監視にとどまらず、紛争を外交的、政治的に終結に導く役割（平和創出 peace-making）や紛争終結後の再建（平和構築 peace-building）にまでその機能を広げるものも生まれるようになった。国連平和維持活動の規模が拡大すると、大国の関与が必要となった。日本は国連カンボジア暫定行政機構（UNTAC）に史上初めて自衛隊部隊を派遣しただけでなく、財政的にも大きな支援をした。ユーゴスラヴィアに派遣された国連防護軍（UNPROFOR）の兵員の四分の一は、英仏ロが提供した。

こうして大国が国際機構を通じて関与するようになると、残虐な内戦を力で強制的に終わらせることも可能ではないだろうか、という考え方も広がってきた。それは、平和維持活動が「平和強制（peace enforcement）」にまで踏み込むことを意味する。九〇年代初頭には、国連がこうした役割を担うことへの期待感が最も高まった。一九九二年に国連事務総長ブトロス＝ガリは、『平和への課題』という文書を公表したが、その柱の一つは平和強制への提案だった。[12]この提案では、国連に常設の「平和強制部隊」が設置され、「停戦に違反する一方ないし両方に対して強制的手段を用いることによって平和を強制する」ことを意図したのである。こうした「平和強制部隊」は国連憲章第七章に定められた国連軍に近いものであり、従来の国連平和維持活動とは大きく性格を異にするものであった。

同じ時期にソマリアに対して行われた内戦への関与は、この「平和強制」の実験でもあった。ソマリアでは一九九一年にバーレ大統領が追放され、その後内戦状態に陥っていた。翌年三月には国連の仲介で停戦が成立し、停戦監視と人道救援組織の支援のために国連ソマリア活動(UNOSOM)が派遣された。これは大国の参加のない、伝統的な平和維持部隊に近いものであったが、停戦監視に失敗し、危険な状態が続いていた。これを受けて安保理は、人道的救済活動の安全確保のために多国籍軍の派遣を容認し、アメリカを中心とする二四カ国が統合作戦部隊(UNITAF)を派遣した。

UNITAFの活動は比較的順調に推移し、一九九三年三月安保理は、UNITAFを国連平和維持活動として再編し、「必要なら、適切な行動によって」、つまり軍事力の行使を含めて「暴力の再発を防止」する任務を与えられた、二万八〇〇〇人という大規模な第二次国連ソマリア活動(UNOSOMII)を設置した。しかしUNOSOMIIは紛争当事者の武装解除を行おうとして、一部の民兵組織と対立し、暴力紛争に至ってしまった。その結果、アメリカ、イタリアなどの要員に被害が出て、派遣国の世論は急速に平和強制に冷淡になった。米軍などが撤退し、UNOSOMIIも強制行動を任務からはずし、その規模を縮小した。平和強制の実験は失敗したのである。この経緯は平和強制が国連の旗頭の下で行うには過大な要求であることを示したと言えよう。

軍事的により強力な関与が求められる場合、国連よりも軍備をもつ国際機構のほうがまだしも効果的だった。旧ユーゴスラヴィアのボスニア・ヘルツェゴビナをめぐる紛争では、UNPROFORは対立するセルビア人とクロアチア人の間の紛争を抑制することができず、逆にセルビア人によって国連防護軍の人員が人質にとられる事態に至った。一九九五年、NATOは域外活動としてセルビアへの空爆を行い、その圧力によって和平合意が達成された。その後、九九年には旧ユーゴスラヴィア内でアルバニア系住民の多いコソヴォでの紛争をめぐって、NATOがセルビアに対する空爆を行い、紛争を終結させることに役立った。

しかしNATOによる空爆は国連からの授権なしに行われて、国際世論の分裂を招いたし、大量の難民の流出がもたらす問題への対応の必要も生じた。地域紛争に対する国連の関与の必要性が再認識され、コソヴォ空爆後にはNATO主導の駐留軍（KFOR）が派遣されるとともに、国連コソヴォ暫定行政ミッション（UNMIK）も平和構築任務に従事した。

こうした内戦への関与の経験は次のことを教える。今日の内戦は、主権国家体制が地球全体に広まったことに起因する面があるが、それでも第一義的には主権国家体制の枠内でしか解決できないということである。内戦が開始されてしまうと終結させるのは容易ではなく、しかも当事者が和平に合意するまで外から秩序を押しつけることはきわめて難しい。しかし世界がたとえば内戦中の難民を引き受けて自国民とすることは不可能であろうし、難民もまたそれを望まないことが多いだろう。したがって何とか内戦を終結させ、人々が一応満足できる国家体制を構築する努力がなされねばならない。国際社会は内戦を放置せず、停戦の気運が醸成されるのを注意深く観察しながら、関与し続けねばならない。国際機構はそのための手段として一定の範囲で有効に機能する。

こうして、内戦であれ、その他の安全保障上の諸問題であれ、解決の糸口は今日でも主権国家体制を安定させることなのである。しかしその上で内戦は、国家間の関係だけに着目していても、今日では安全保障は十分に得られないことを端的に示してもいる。国家を支える社会、ことに人々の生活に関わる経済にまで目を広げることが必要であるし、そのことで主権国家体制により安定した秩序としての性格をつけ加え、国際共同体としての性格を強める可能性が広がってくるのである。

引用・参考文献

（1）トーマス・ホッブズ、水田洋・田中浩訳『リヴァイアサン』世界の大思想一三　河出書房新社、一九六六年。訳文に適宜手を加えた。

（2）スピノザ、畠中尚志訳『国家論』岩波文庫、一九六八年

（3）John U. Nef, *War and human progress*, Norton, 1950.

（4）Michael Sheehan, *The balance of power : history and theory*, Routledge, 1996.

（5）ロジェ・カイヨワ、秋枝茂夫訳『戦争論』法政大学出版局、一九七四年

（6）クラウゼヴィッツ、篠田英雄訳『戦争論』岩波文庫、一九六八年

（7）Kenneth N. Waltz, *The spread of nuclear weapons : more may be better*, London : International Institute for Strategic Studies, 1981. Adelphi papers no. 171.

（8）ジョン・L・ギャディス、五味俊樹他訳『ロング・ピース——冷戦史の証言「核・緊張・平和」』芦書房、二〇〇二年

（9）Kalevi J. Holsti, *The state, war, and the state of war*, Cambridge University Press, 1996.

（10）Stockholm International Peace Research Institute, *SIPRI yearbook : world armaments and disarmament*, Stockholm: Almqvist & Wiksell, 2002.

（11）ベネディクト・アンダーソン、白石さや・白石隆訳『想像の共同体（増補版）』リブロポート、一九九七年

（12）ブトロス・ブトロス＝ガーリ、国際連合広報センター訳『平和への課題　一九九五』国際連合広報センター、一九九五年

第三章　政治経済の位相

ブラジル・サンパウロのスラム街から高層マンション群を望む（©Paulo Fridman/PPS）

1　世界市場から世界経済へ

「自然的自由の体系」

主権国家の間にいかにして協力をもたらし、国際共同体に近づけるか。これが十七、十八世紀のヨーロッパ人を悩ませた問いだった。すでに見たように、国際法や外交制度はその模索の表れだった。しかし、激しいものではないとはいえ、戦争は起こり続けた。そこで国際共同体を築くには、主権者間の関係を改善するだけでなく、社会の状態を改善し、満足した人々の意見が主権者を抑制することによって、国家間の協力を強めようという考え方が生まれてきた。

こうした考えを一つの体系として提示したのは、アダム・スミスである。スミスは経済学の始祖として知られるが、彼の真の意図は、経済を通じて政治を改善することであった。それゆえ彼は、「政治経済（political economy）」という分野で自らの社会論、政治論を展開したのである。

「政治経済」は近代に発明された表現である。economy という言葉は古代ギリシャの

oikonomike から来ているが、この言葉は「家」を意味する oikos から派生し、「家政の学問」を意味している。古代では polis と oikos は反対概念であり、polis が人間が人間となる晴れ舞台だとすれば、oikos はそれに従属する影の世界を指していた。こうした語感は中世まで残り、近代までは、polis と oikonomie が一つの言葉となることはなかったのである。

近代に入るとこの状況は大きく変わった。アダム・スミスが一七七六年に公刊された『諸国民の富』の中で、「アメリカの発見と、喜望峰経由での東インド航路の発見とは、人類の歴史に記録された最大かつ最重要な二つの出来事」と書いたように、近代ヨーロッパがもたらしたのは、「世界市場」という革新的な制度であった(1)。世界市場においては、古代のように文明圏の間で交換される珍品が権力を象徴する奢侈《しゃし》品となる交易が行われるのではなく、新たな需要が生み出され、世界の生態系を変化させるような、地球全体を一つの市場とする道が開かれたのである。これをI・ウォーラースタインのように「近代世界システム」と呼んでもよいであろう。たとえば新世界と呼ばれたアメリカ大陸では貴金属を獲得するための鉱山業が発達し、また、サトウキビ栽培がブラジルやカリブ海にもたらされた。アラビア産のコーヒーは新大陸や現在のインドネシアのジャワに移植された。逆に新大陸からはジャガイモやトウモロコシがヨーロッパにもちこまれ、栽培されるようになった。

もちろん、交換や取引は近代以前にも存在した。それどころか交換や取引は社会の本質であったと言ってもよい。しかし、それはあくまで共同体に埋め込まれていた。古代ギリシャやローマでは、政治が行われる場所でもある都市の広場（ギリシャのアゴラーやローマのフォーラム）が交換の場でもあった。また、中世ヨーロッパでは、有名なハンザ同盟に代表されるように都市間の経済交流はある程度存在し、冒険的な遠隔地商人が活躍することもあったが、人々の生活の中で占める割合は低かった。古代から現代にわたって「市場」の変遷を描いた著作によれば、「中世の遠隔地商人の華々しい活躍ぶりのすべてに眼を奪われがちだが、この時代の経済は原則としては地域に結びついていたのだという点が忘れられてはならないだろう。……中世の市場は、さまざまな経済循環の間の接触点に過ぎず、世界経済の分配の中心ではなかったのである⑵」。中世まで人間の生活は共同体に根ざしていたのである。

近代世界市場は、人々の生活様式を変えることで経済を共同体から自立させた。世界市場によってもたらされた産物は、人々が生きるために必須《ひっす》のものではなかった。香料、茶やコーヒーがなくても人は生きていける。しかし、次第にそれらは人間らしい生活にとっての必需品と考えられるようになった。つまり世界市場の成立は、人間の物質的条件を新たに定義した。古代においては国家の市民たることが人間性の条件とされたのに対し、近代においては、文明的な「富」を享受することをもって初めて人間性を獲得できると考えられるようになったのである。ここに、近代的な個人は私的領域（oikos）において世界市場なしには成立しないという関係が成立したのだった。世界市場の成立は、自給自足の単位としての共同体という考え方を過去のものとした。

近代国家が古代共和国と異なる一つの点は、国家が oikos においてつながる個人と地球世界を仲介することで「富」を蓄積し、それを自らの力の源泉としたことである。各国はおしなべて交易を促進して金銀を獲得すると同時に、国内の製造業を奨励しようとした。そして国家の富を増進させる方策の検討から、十七、八世紀に「国家の家政学」、すなわち「政治経済」の概念が生まれたのである。

十八世紀の後半には、西欧では豊かさが社会に浸透しはじめた。しかし、そのことがかえって腐敗と混乱をもたらしているという懸念を人々に抱かせるようになった。たとえばルソーは『学問・芸術論』で、文明化される以前の人間は調和のとれた共同生活を営んでいたのに、文明化された人間は自然の本性を忘れ、不和と対立にさいなまれるという見方を示し、大きな反響を呼んだ。しかしスミスは、彼に先行するスコットランド啓蒙思想家に学んで、文明的条件の下でも人間の内なる自然な本性を回復することはできるし、それによって社会的調和を実現できると考えたのである。

スミスの出発点は、人間の自然な本性には他者と調和的なつながりをもつ傾向が備わっている、という人間観であった。商業偏重を説く見解（彼は「重商主義」と呼んだ）に基づく国家政策こそ、富の生産と分配に歪《ゆが》みをもたらし、市民社会の構築を妨げる障害だとスミスは考えた。『諸国民の富』における彼の目的は、重商主義を批判し、近代的な市民社会の形成に至る正しい「政治経済学」を提示することであった。

スミスの独創は、自然と文明を両立させる素晴らしいメカニズムを「分業」に見出したことであった。分業によって道具に習熟して生産性が向上し、増加した生産物は市場を通じて交換されることで、自らが豊かになりたいという人間の自然な利己心と、相互に必要としあうという共同性とを両立することができる。人間は文明を捨てることなく、本来の自然を取り戻すことができる。この過程を通じて富は社会の中で平等に行きわたるだけでなく、分業の深化によって生産の成果は増大し、国民はますます豊かになる、と考えたのである。

この時スミスは、人々によって生産される物こそ富なのであって、貴金属や特定の物は富そのものではないと主張することで、「富」を再定義した。特定の産業を奨励し、貴金属を獲得しようとしてきた重農主義や重商主義の政策は、富についての誤った理解に基づいており、真の意味での富を増やす最善の方策は分業を進展させることである。自然な分業によって富が増大すれば国家の収入も増加し、結果的には国家にとっても得策だと説いたのである。

彼によれば真の「政治経済学」とは「自然的自由の体系」を機能させるものであり、それは第一に「人民に豊富な収入または生活資料を提供すること」を目的とし、第二に「国家または共同社会に、公共の業務に十分な収入を、供給すること」を目的とする、「人民と主権者をともに富裕にすることをめざす」科学だったのである。

つまりスミスは従来の政治経済学に対して、文明社会において共同性を回復すること（社会的調和）が公共性（国家）の前提となることを強調したのである。彼の主張は国家の公的な役割を否定するものでは決してなかった。よく知られているように、スミスは外敵からの防衛力を強化し、国内の秩序を維持し、教育を含めた公共事業を行う必要性を積極的に認めていたのである。

その上で、スミスの最大の願いは、「自然的自由の体系」の理解によって、富についての誤解がもたらしてきた無意味な戦争が繰り返されなくなることであった。彼は植民地をめぐってイギリスが戦ってきたスペインやフランスとの戦争の負担を幾度となく指摘し、次のような言葉で『諸国民の富』を終えているのである。

もしブリテン帝国のどの属州も帝国全体を支えるのに寄与させられないならば、いまこそグレート・ブリテンが戦時にそれらの領域を防衛する費用、平時にその民事的軍事的施設のどの部分をも維持する費用から、みずからを解放し、自分の将来の展望と計画を、自己のまったくふつうの境遇に適合させるようにつとめるべきである。

失われた「自然」

しかし十九世紀になると、スミスが抱いた「自然的自由の体系」への期待は裏切られることとなった。彼が観察し、また促した科学技術や体系的思考が、十八世紀的な「自然」を吹き飛ばしてしまい、文明、国民経済、共同性といった概念の間の対立が明らかとなったのである。そこに三つの政治経済学の系譜が生まれてきた。

まず、科学技術の発達はスミスの予想をはるかに上回って国境を越える移動を容易にした。スミスは交通・通信技術の発達は都市と田舎を結びつけ、国民経済の一体性を強めると考えていた。たしかに産業化によって国内市場の緊密化は進んだが、それ以上に産業化は国境を越える分業を進めたのである。

しかしより重要だったのは、スミスの「自然的自由」に含まれていた、人間の欲求の自然な限界という考えが幻想に終わったことであった。文明社会の人間は、スミスが考えていたよりも好奇心に満ち、新しい商品、新しい需要を次々と生み出していった。そして人々は産業化の進展と政治的、社会的自由の拡大に応じて、精神的、物質的制約から限りなく解き放たれることを求めたのである。

いわゆる自由主義経済学（新古典派経済学）はこうした背景から生み出されてきた。それは国家や社会と切り離された「市場」という仮想空間を設定し、その中で「効用」を原理として人間行動を科学的に把握する体系である。この体系は、分業が社会的調和をもたらすというスミスの楽観を受け継ぎながら、国家の役割を捨象して市場の自動調整作用という方向、公共性なき共同性へと発展させたのである。この段階で政治経済は経済学（economics）へと変化した。十九世紀の中頃に書かれ、広く標準的な教科書として扱われたジョン・スチュアート・ミルの『経済学原理』（一八四八年）が「政治経済」という言葉を使っていたのに対し、十九世紀の末に書かれて、ミルの教科書にとって代わったアルフレッド・マーシャルの『経済学原理』（一八九〇年）が「経済学」という言葉を用いている点にこの変化が示されている。

しかしこうした自由主義経済学に対しては、強い批判が提起された。その第一のものは、スミスの「国民経済」という視点を発展強化したものであった。世界市場の統合の中で進行する国際分業は、特に後進の国に政治問題を引き起こした。なぜなら技術革新をもたらす先端的な製造業は、より強力な軍事力を生み出す力にもつながるからである。スミス自身このことを認めていた。「近代の戦争においては、火器についてのおおきな費用が、その費用をもっともよく支払いうる国民を、明確に有利にする。……火器の発明は、一見したところたいへん有害におもわれる発明であるが、それはあきらかに、文明の永続と拡大との双方にとって、有利なのである」。この点で、スミスは富が力を生むという重商主義の考え方そのものを否定してはいない。ただ、富を効率的に生み出す方法としての重商主義を批判したのであった。

スミスは自然な過程を通じて農工商の均衡のとれた国民経済が育成されると考えていた。しかし十九世紀には、自然にまかせておいては強力な産業が先進国に集中するから、先進国の競争力のある産業に対抗して発展途上国の政府が自国の産業を保護育成しなければならないという考えが力をもつようになった。独立革命後のアメリカでは特に北部で製造業保護の考え方が採用されたし、十九世紀中期のドイツでは民族主義運動と絡みながら「国民経済論」が提唱されるようになった。その先駆的理論家となったフリードリッヒ・リストは一般的自由貿易の主張を世界主義経済学と呼んで、「国民的体系」と名づけた自らの政治経済学と区別し、先進国に対する産業保護と国内における経済近代化政策を提唱したのである。

自由主義経済学に対する第二の批判は、産業化は社会の共同性を回復するのではなく、不平等と対立を拡大することになるという観点から行われた。スミスはこうした点にも気づいていた。彼は近代初頭のヨーロッパ人による新航路の発見が人類に多大な便益をもたらす可能性があることを認めた上で、「東西両インドの原住民たちにとっては、それらの出来事が生みえたはずのすべての商業的便益は、それらが引き起こしたおそるべき不運の中に、埋もれ、失われてしまった」ことを指摘した。現に世界市場の成立は大西洋間での奴隷貿易を生み出し、新大陸に運ばれ、過酷な労働を強いられたアフリカ人は十九世紀に止められるまでに一〇〇〇万人とも一五〇〇〇万人ともいわれている。

しかし十九世紀に関心が向けられたのはヨーロッパ社会における不平等の拡大であった。十九世紀の初めから、スミスのいう自然な共同性を回復するためには産業社会から隔離された環境が必要だとする考え方が初期の社会主義者によって唱えられはじめ、実際にそのような共同体を結成する試みも行われた。しかしそれらはおしなべて失敗に終わった。現代において孤立した共同社会を構築することは、不可能ではないにせよきわめて困難なことが明らかとなったのである。そこで次第に、文明的条件の下で政治的に平等を実現しようという社会主義が唱えられるようになった。そこにはいくつかの立場があったが、なかでもカール・マルクスは科学的進歩が労働者による革命をもたらし、資本主義は廃棄されて社会主義を達成すると考え、やがてマルクス主義という学派を生み出した。

これら三つの体系はそれぞれ今日まで受け継がれている。それは各々の体系が、近代の経済が社会的過程においてもつ一面を捉えているからであろう。自由主義の経済学は分業や取引が本質的に人間の共同作業や合意に基づくものであり、その限りで人々に協調をもたらすことを示している。国民経済論は、富が他者を支配する政治的な力の源泉となりうることや、産業革命以降の経済にとって技術革新のもつ重要性を指摘している。社会主義論は、価値の交換は潜在的には支配と従属の関係をもたらしうることを指摘している。競争の結果、独占や寡占状態が帰結することもあるし、形式的には自発的な意志に基づく経済的取引であっても、実質的には権力的な関係に陥ってしまうこともあるのである。要するに現代の経済には、分業による協調、技術と力をめぐる政治的な競争、支配従属関係の三つの要素が分かち難く混在しており、いずれか一つの見方で割り切ることの危険を教えているのである。

世界経済の成立

さらに十九世紀の後半から二十世紀にかけての時期になると、「世界経済」意識が生まれてきた。すでに見たように世界市場は近代初頭から存在したが、「世界経済」の存在が意識されるようになるには、国民経済という概念が確立し、その上で通信・交通技術の発達が国境を越える経済的つながりを意識させるようになった十九世紀後半まで待たねばならなかったのである。

先に挙げた三つの体系は世界経済という文脈の中で新たな展開を見せた。まずこの時期には、経済の相互依存がかつてないほど進行した。産業化で先行したイギリスは、十九世紀の間、自由貿易を標榜《ひょうぼう》し、自らの市場を開放して他国にも関税の引き下げを促した。さらに十九世紀の末には、それまでの経済学では移動しないと考えられていた資本と労働力の移動性がこの時期に高まった。イギリスは「世界の工場」から「世界の銀行家」へと変貌し、海外の政府・企業がロンドンで起債し、証券投資の形でイギリスから世界に資本が流出した。イギリス以外の国も次第に海外投資を伸ばした。人的にも、この時期には、東欧、南欧からアメリカなどへ大量に移民が起こり、アジアからもアメリカ大陸や南半球地域へと労働移民の流れが生じた。

こうした世界経済の一体性の感覚を刺戟として自由主義経済学は発展した。多民族都市ウィーンで生まれた限界効用説を基礎とする、「効用の理論」としての新古典派経済理論がマーシャルなどによって体系化され、経済学は政治という拘束を脱ぎ捨てた。

しかし実は、この世界的分業の進展を陰で支えていたのはイギリスだった。主要国はこの時期に金本位制を採用し、通貨価値を安定させたが、イギリスは事実上の基軸通貨国としてこの体制を維持した。その際、イギリスは貿易収支では赤字を出して各国に国際決済手段を供給しながら、投資収益や貿易外収支で赤字を埋めた。加えて世界最大の海軍力をもち、国際通商の安全を保障したのである。

ところがイギリスが推進した世界的分業の進展は、新しい形での政治的闘争を生み出すこととなった。アメリカやドイツが次第にイギリスに追いつき、特に米独が得意とした石炭・鉄鋼業などの重化学工業は、軍事力の基礎となると考えられたから、イギリスでも他国との競争が重視されるようになった。国民経済論は産業育成のために保護関税の導入を主張するだけでなく、非ヨーロッパ世界に力で進出し工業資源と市場を囲い込む必要性を訴え、帝国主義を支える一つの論拠を提供したのである。ヨーロッパの世界進出はすでに数世紀間進んでいたが、十九世紀後半までは政府が前面に出る局面は少なかった。しかしこの時期から政府が公式に植民地を領土となし、植民地経営に乗り出したのである。たとえばインドにおいては、十九世紀の半ばまで支配の担い手はイギリス政府から認可を受けた東インド会社であり、会社は実権を失ったムガール帝国に代わってインドの諸地域の有力者らと手を結んで支配を行っていた。しかしベンガル人の傭兵《ようへい》が起こした一八五七年のセポイの乱をきっかけに東インド会社は本国政府によって解体され、ムガール帝国も終焉を迎えてイギリスのビクトリア女王がインド皇帝の地位についた。イギリスに限らず、工業化の程度が国力の指標となり、工業化のためには他国よりも多くの資源と市場を囲い込む必要があるという考え方に基づいて、各国は先を争って植民地獲得を急いだのである。そして産業化された軍事力は、産業化以前の社会の征服をそれ以前よりもはるかに容易にしたのだった。

他方で、社会主義は国際的な政治運動となって自由主義を攻撃した。一八六四年、マルクスらの主導によってロンドンに第一インターナショナル（国際労働者協会）が創設され、資本家階級に対抗する労働者の国際的連帯を訴えた。この組織は内部の路線対立とパリ・コミューンの失敗によって七六年には解散したが、八九年には第二インターナショナルがパリで結成され、各国社会主義政党の路線調整のために活動した。しかし先進国で民主化が進み、政府が社会、福祉政策を開始すると、労働者の生活水準は向上し、労働運動も革命から権利拡大へと目標を変化させた。こうした状況の中で革命路線を守ろうとして、帝国主義と資本主義を結びつける見方が生まれてきた。ドイツのローザ・ルクセンブルクやロシアのレーニンがその主たる主張者だったが、彼らは先進国の経済的繁栄は帝国主義による収奪の結果であり、帝国主義競争はやがて戦争に至り、その時労働者階級が社会主義革命を実行することを訴えたのである。

こうして十九世紀の末には、政治経済関係は国際協調を強めるどころか、対立の原因となったのである。さらに第一次世界大戦をきっかけに、世界経済はさらに大きな変容を遂げることになった。

2　世界経済体制

国際政治経済体制の確立

第一次世界大戦が世界経済に与えた最大の衝撃は戦争による人的、物的損害ではなかったかもしれない。それまでの世界経済の一体化の傾向を反転させ、世界経済を分断したことの影響は、きわめて大きかったのである。

開戦後ほどなく金本位制は停止され、各国は統制経済を導入し、大戦後も統制は完全には解除されなかった。一九二五年に再建された金本位制は、形式的には大戦前の経済体制に復帰する礎となるはずだったが、現実には金の国際流通量は大幅に減少しており、ポンドが支えねばならなかった。一九三一年、イギリスが大恐慌によって力つき、金本位制から離脱した時、十九世紀的自由主義の命運は尽きた。

代わって勢いを得たのが帝国主義と社会主義であった。帝国主義は主要国が資源と市場をもつ自給的な経済単位の確立を目指すブロック経済運動へと再編されていった。停滞し、動揺する世界経済を前にしてこうした政策を採らざるをえないという論理が世界的に唱えられた。実際、一九三〇年代には世界経済は、先進国と植民地が関税同盟や特恵関税で結ばれたブロック経済を単位として再編された。

さらなる衝撃を与えたのは社会主義の政治的成功だった。一九一七年、レーニンらが率いるボルシェヴィキは第一次世界大戦でロシア帝政が疲弊して革命に倒れた機会に乗じてロシア新政権の主導権を握り、社会主義革命を実行した。ボルシェヴィキは戦争停止と農民への土地分配を掲げて人心を集め、反革命派と連合国の干渉から社会主義政権を守った。大戦前から勢いを失いつつあった急進的な社会主義運動は、ロシア革命の成功によって圧倒的な威信を獲得し、ソ連共産党は社会主義運動の主導権を握ることになった。第一次世界大戦の開戦後に解散した第二インターナショナルに代わって、一九一九年ペトログラードで第三インターナショナル（コミンテルン）が発足した。それはやがてソ連共産党が各国共産党に対して革命運動を指令する組織となった。ソ連共産党は植民地地域で民族主義運動を後押しし、帝国主義体制の動揺を狙う一方で、国内では私有財産制を廃止、計画経済を導入し、社会主義体制は資本主義の無軌道を科学的に解消したと主張した。

しかし、レーニンらの期待に反して、先進国ではソ連に続く社会主義革命は起こらなかった。それどころか農業社会だったロシアでの社会主義は早期に行き詰まった。経済発展のためにはある程度の私的動機を認めるべきとの議論もあったが、社会主義体制においては政治が経済に優先した。レーニンを継いでソ連の指導者となったスターリンは政治的ライバルを追い落とす過程で強権的な集団化路線を採用し、計画に基づく強制的な工業化を進めたのである。この強制的な工業化は、たしかに一定の成果をもたらした。一九二七年からの一〇年間でロシアの工業生産は一八三億ルーブルから九五五億ルーブルへと五倍になったのである。

ソ連の工業化は、自由主義に対する強力な挑戦と見なされた。しかし、先進資本主義諸国に対する挑戦の最大のものは、社会主義体制ではなく、技術革新によって生まれた巨大な生産力の成果に対する需要不足だった。ブロック経済化は一時的に、経済安定とある程度の成長をもたらした。しかしやがて、国際貿易の低迷は各国の成長を頭打ちにした。日独伊枢軸国はこの停滞をさらなる経済圏の拡大によって解決しようとしたが、こうした行動は政治的緊張を高め、かえって経済活動を阻害した。

これに対して米英仏などでは、統制経済、社会主義の影響を受けながらも、個人の自由を基礎とした政治経済体制、つまり資本主義に一定の政府管理、計画を導入する修正資本主義ないし「組織された資本主義」の考え方が生まれてきた。それはアメリカで発達した大量生産方式によって労働者階級を安定した所得をもつ中産階級とし、生活様式のモデルを提示することで彼らを大衆的な消費者として需要の担い手とすることで需要と供給の循環を創り出すものであった。その上でケインズ経済学に見られるように、政府が通貨供給量や国民経済の総需要に責任をもつこととなった。こうした手法は第二次世界大戦後まで完全には定着しなかったが、技術革新がもたらした経済の供給過剰体質を自由主義の枠内で解決する道を開いたのである。

政治経済の観点から見れば、第二次世界大戦は、経済圏の拡大によって行き詰まりの解消を図った枢軸国が敗北することによって、ブロック経済思想の限界を示した。一九三〇年代には優勢と見られた帝国主義が敗北し、自由主義と社会主義が生き残ったのである。この二つの体制はやがて世界を二分して、対抗しつつ国際政治経済秩序を構築することになった。

米英両国では大戦開始前から多角的で無差別な貿易協定を結ぶことで、国際貿易の再生を図ろうという気運が生まれていた。この気運は大戦開始後にローズヴェルト米大統領とチャーチル英首相が合意した大西洋憲章に取り入れられ、戦後における資源と市場の開放と、経済的繁栄の確保が連合国の戦争目的に掲げられたのである。この目標は一九四四年に米英間の協議の結果生まれたブレトン・ウッズでの合意に基づいて実行に移され、ブレトン・ウッズ体制《レジーム》と称されるようになった。

この体制は国内における「組織された資本主義」を前提とし、各国政府が通貨の安定に責任を負った上で多角的な自由貿易を実現することを目指すものであった。それはまず、通貨価値を相互に安定させ、為替変動にともなうリスクを軽減し、次に国際貿易についても相互的な基本ルールを設定することで、国際分業を増進し、供給力に見合った需要を生み出すことを意図していた。固定相場制の維持のための国際通貨基金（IMF）、国際流動性の供給のための国際復興開発銀行（IBRD）、やや遅れて多角的自由貿易体制の実現のために関税と貿易に関する一般協定（GATT《ガット》）が設立ないし合意された。国際政治経済学者ジョン・ラギーはこの体制を「埋め込まれた自由主義」と呼んだ。

もちろんブレトン・ウッズ体制は最大の資本主義国だった米英の利益にかなったものだった。しかしそれは他国の利益を害して米英の利益に奉仕する体制ではなく、一般的なルールの束として米英以外の諸国にも開放され、他国の利益にもなりうる体制だった。この意味でブレトン・ウッズ体制はスミスの捉えた国家の役割に近い役割を果たしており、今日の経済学で公共財と呼ばれる性質をもっていた。公共財とは社会の一部ではなく全体の利益になる財のことであり、スミスはそうした財については政府が税金を徴収して公共事業として供給すべきものとした。国際政治においては徴税できる政治権力は存在しないが、米英は広い自己利益の観点から擬似的な公共財を供給したといえる。

しかし、公共財にとって常に問題になるのは、その供給維持費用を誰がどれほど負担するかという問題である。アメリカは過重な負担を嫌って参加国全体が費用を負担する形式を採ることを要求した。しかし大戦後の疲弊した世界経済において実質的に費用を負担できるのはアメリカしかなかった。IMFを設立する過程で、アメリカはドルが国際決済通貨となることに抵抗したが、当時の世界の金の約半分を所蔵し、強い国際競争力をもつアメリカだけが国際貿易に必要な通貨を供給できたから、各国が自国通貨の相場をドルとの関係で設定することを最終的に容認した。つまりアメリカは事実上の世界の中央銀行として、「最後の貸し手」の役割を引き受けたのである。

しかし、アメリカの態度を決定的に変えたのは冷戦の開始であった。アメリカはソ連との対抗を第一とし、ブレトン・ウッズ体制の構築維持費用を積極的に負担した。マーシャル・

プランに代表される公的援助や貸付によって国際決済通貨としてのドルを政治的に供給しただけでなく、西欧や日本などにある程度の産業保護を維持することを容認してブレトン・ウッズ体制に参加させ、これら諸国に自国市場を開放したのである。アメリカのこうした姿勢によって戦災に傷ついた諸国は比較的容易に復興し、社会的安定を回復することができた。

さらに先進国はガットに基づいて工業品を中心に幾度かの多国間の関税引き下げ交渉（ラウンドと呼ばれた）を行った。最後のガット交渉となったウルグアイ・ラウンドの合意（一九九五年発効）では先進国の工業品に対する関税はわずか数パーセントにまで引き下げられた。この間、国際貿易は大いに拡大し、先進国経済は急速に成長した。一九五〇年から七五年までの間に、先進国の国民総生産は年平均四パーセント成長し、先進国の貿易額は年平均八パーセント伸びたのである。二十世紀の後半は世界貿易の急速な拡大期であり、その拡大は先進資本主義国間の貿易の成長によるところが大きかったと言わねばならない。

ただしブレトン・ウッズ＝ガット体制は完全な自由貿易体制を確立したものではなく、少なからぬ例外を抱えていた。たとえば、農産物に関する自由化は工業品に比してさほど進まなかった。産業化の進展にともなって農業部門の雇用者は減少するが、その政治的影響は残った。農業部門は比較的組織されやすいし、豊かになった消費者のほうも、農業の自由化によって多少食費が安くなることよりも、政治的安定を優先したからである。また、流通、運輸、金融、通信といったサービス部門も当初は準公共部門と捉えられ、自由化の対象とされなかった。固定相場制と多角無差別の関税引き下げを特徴とするブレトン・ウッズ＝ガット体制は大衆的な生産中心の産業社会に適した政治経済体制だったのである。

一方、社会主義経済圏も第二次世界大戦後に拡大した。ソ連の政治的支配下で東欧諸国が共産化しただけでなく、アジアでもモンゴル、中国、北朝鮮、北ベトナムが加わった。戦後しばらく社会主義圏は経済競争において西側と肩を並べ、場合によっては凌《しの》ぐかに見えた。五〇年代にはほとんどの社会主義国で生産は年七パーセント以上増加し、一人あたりの純物的生産の成長率でも年五パーセントを上回る伸びを見せていた。これら諸国にとって重要な国際貿易は社会主義圏内のそれであり、一九四九年一月には経済相互援助会議（COMECON）が設立されて、東欧圏内の経済協力の推進が始められた。また中国も社会主義圏内での貿易によって資本財を獲得し、工業化を進めた。

こうして二十世紀中期には、帝国主義が敗北し、自由主義と社会主義が、いずれも組織化、行政国家化をともなって、対抗した国際政治経済秩序をもたらした。この時に課題として浮上したのが、帝国主義が否定された後に独立した地域の開発問題であった。

開発問題の登場

二十世紀の間に世界人口は未曾有の成長を遂げ、世界経済はさらに急速な成長を遂げた。この一世紀の間に世界人口は一六億人から六三億人へと約四倍に増えたのに対し、世界の実質国内総生産は一九倍に増えたのである。人類は全体として豊かになった。しかし問題は、この一世紀間に世界的な富の不平等が拡大したことである。世界的ジニ係数（富の不平等の度合いを示す係数であり、大きいほど不平等度が高いことを示す）は、〇・四〇から〇・四八へと上昇した。今日、世界人口の五分の一、約一二億人が一日一ドル未満で暮らしているといわれる。

しかしこうした不平等は、豊かな国が貧しい国から収奪したことが主たる原因ではない。そこにこの問題の難しさがある。絶対的所得で見た場合、世界の最も貧しい四分の一の人々も、二十世紀の間にその実質所得を三倍に増やし、その他の推計によっても、過去半世紀の間にアジア、アフリカ、ラテン・アメリカの各国で実質所得は増大している。しかしその間、世界の最も豊かな四分の一の人々の実質所得は六倍に伸びた。二十世紀には人口増加は相対的に貧しい地域において急激であり、豊かな国では人口増加は停滞した上に所得の伸びも大きかったから、不均衡が拡大したのである。

したがって不均衡の基本的な解決策は世界的に所得を再分配することにはない。問題の核心は相対的に貧しい地域が近代的な経済体制を受け入れるかどうかなのである。近代化以前の共同体を前提とした生活様式と、共同体と分離した市場を前提とする近代経済とは基本的に異なっている。あえて言えば、後者を前提にしたさまざまな経済指標では、前者の生活の豊かさを推し量ることもできないと言えるかもしれない。それは発展途上国の中でもとりわけ近代化されていない地域を訪れた先進国の人々がしばしば感じることである。そこに暮らす人々の所得は低く、近代的な物質生活を享受していなくとも、先進社会にないような生活に対する充足感を抱いていることに感銘を受けることは珍しくない。

しかし近代は地球全体を覆う普遍的なシステムであり、地球上の社会はすべて近代となんらかの形で接触することを余儀なくされた。その過程で先進国の強力な軍事力による政治的支配や、不平等な基盤の上に立った経済交換から生じる収奪も一定の程度で生じた。たとえば十九世紀にイギリスによって自由貿易を強いられたインドはその典型であろう。十九世紀初めにはインドは豊富な人口と資源を有する社会であり、世界最大の綿織物産業をもっていた。しかし東インド会社の支配下で阿片《あへん》や茶などの輸出産品の産地とされ、さらに東インド会社に代わったイギリス政府はインドに自由貿易を強い、インド土着の金融海運業や手工業は競争力を失い、十九世紀末には綿花の生産地、イギリス製造業の市場へと姿を変えたのである。

しかし政治的、経済的圧迫がなくとも、近代社会との接触そのものが伝統的社会を変えていく傾向をもっている。むしろこちらのほうが、伝統的な共同体のバランスを崩す原因なのである。たとえば近代医学の一定程度の普及や衛生環境の向上は、支配や収奪の直接的な手段とは言えない。しかしそれは、多産多死を前提としていた自給自足社会に急激な人口増加をもたらしたのである。二十世紀の初頭から今日の間に、先進国で平均寿命は四十六歳から七十八歳へと七割程度しか伸びなかったのに対し、発展途上国では二十六歳から六十四歳へと二倍半伸びた。そして死亡率が低下しても多産の生活様式が変わらなかったことで人口が急激に増加したのである。かつては救えなかった命を救うことができるようになったことは大きな福音である。しかし、急速な人口増加はその社会が伝統的な自給自足社会にとどまることを不可能にし、近代的な経済システムへの変革を避けがたくしたのである。

流入するさまざまな近代的知識、思想は、伝統社会の仕組みを否応なく変化させた。そこで伝統社会が近代社会へと転換するさまざまな条件を備えることが「開発（development）」や「近代化（modernization）」といった言葉で表現されるようになった。これらの言葉は植民地が次々と独立した一九五〇年代から次第に使われるようになり、一九六〇年代には定着した。

当初は開発に対する楽観が支配していた。新興国が貧しいのは植民地時代の宗主国による収奪のためであり、政治的に独立して収奪が止み、不足する経済的要素を補いさえすれば容易に開発は成功すると考えられていた。その際、当時の先進国にならって国家主導の経済政策の手法が重用された。先進国が第二次世界大戦期に政府の経済介入、経済計画によって大不況を克服したように、発展途上国も政府の介入によって比較的容易に先進国化できると考えられていた。たとえばある国連の経済専門家は一九五一年に「低開発国の政府は、経済を調査し、発展計画を作成し、それを実行するのに必要な措置を勧告し、定期的に報告するような中央経済部門を設立するべきである。開発計画は資本の必要と、どれほどが国内と海外から期待できるかを示す資本予算を含むべきである」と提言した。

そこで多くの新興国は輸入代替政策を採用した。先進国と比べて不足している資源、技術を政府主導で集中的に投資して工業化し、先進国から輸入している工業製品を自国で生産することで、輸入を減らして外貨を節約し、労働者を豊かにして国内市場も拡大するという処《しょ》方箋《ほうせん》だった。一九五〇年代に、インドは近代経済学の手法を応用したやり方で、また中国はソ連型計画経済に学んだやり方で、急速な工業化を実現しようとした。そして先進国も東西冷戦の中で新興国を自らの陣営に引きつけるか、少なくとも相手の陣営の手に落ちることを防ぐために、発展途上国に不足する資本や技術を援助しはじめた。西側先進国は一九六一年、経済協力開発機構(OECD)を発足させ、先進国がその国民総生産の〇・七パーセントを開発援助に向けることなどのガイドラインを設定したし、東側でもソ連を中心に積極的に援助を行った。

しかし、やがて輸入代替政策の失敗は明らかになった。インドでは工業化はある時期まで順調に進んだが、質が低く値段も高い製品に対する需要は頭打ちとなり、さらなる工業化をむしろ阻害するようになった。のみならず、重工業への重点的な投資は不効率な工業部門を肥大化させる一方で、農業部門を衰退させた。同様の経験はラテン・アメリカや毛沢東指導下の中国でも見られた。この経験は開発という問題の複雑さを示すものであった。

開発とは単に近代技術や資本、資源、教育ある労働力といった経済要素を移植すれば実現するというものではない。それは最終的には、ある社会が自らの伝統的構造と世界経済という与えられた条件をいかに主体的に釣り合わせ、融合させ、意志と能力をもつかにかかっている。言い換えれば、国民経済の一体性を保ちつつ世界市場へも統合し、さらには伝統的価値をある範囲で維持しながら近代的な変革にともなう過去の破壊を行うという矛盾した要請に応える必要がある。

したがって、ある経済的条件が開発にとってプラスとなるかマイナスとなるかを判断することは、きわめて難しい。たとえば発展途上国の人口の急増はしばしば開発の足かせと見なされ、人口増加抑制の必要性が叫ばれるが、見方によっては大きな人口は開発の重要な資源になりうる。それは豊富な労働力と潜在的に大きな国内市場を意味するからである。実際、戦前の日本では人口が発展の足かせになると考えられていたのに、戦後日本が高度成長を実現し、ヨーロッパを凌ぐ経済大国になったのは、ヨーロッパ諸国に比べて優秀な労働力と大きな人口によると考えられている。あるいは、今日では天然資源は発展途上国が開発資金を獲得するための重要な手段と見なされているが、産油国の多くで開発は必ずしも成功せず、資源をそれほどもたないアジア太平洋圏の諸国で開発が進んだ例を見ればわかるように、資源に依存することはかえって産業化を妨げる効果ももちうるのである。

一九七〇年代に入る頃には、開発について抱かれていた楽観は失われた。開発が順調に進まないことへの発展途上国の苛立ちがつのり、開発戦略をめぐって先進工業国(北)と発展途上国(南)の間には深い溝が存在するようになったのである。南は世界経済の基本条件が北に有利になっていることが開発を阻害する基本的条件であり、北が南に対してより多くの援助を供与するだけでなく、国際経済秩序そのものを南に有利にすべきだと主張するようになった。これに対して北は、開発の遅れは基本的に南の責任であり、援助や経済機会を適切に利用できていないのが問題だと主張した。この深い亀裂が解消されないまま、世界経済は大きく変容することになった。

世界経済からグローバル経済へ

一九七〇年代は世界経済が大きく変容し、グローバル経済へと変化しはじめた時でもあった。宇宙時代となって地球規模の通信技術が発達し、同時に航空網も発達して、自然的な距離に比例していた移動コストが大幅に低減した。新しい技術が生み出した「仮想空間」においては経済的には距離が消失し、経済取引の速度は急激に増した。自由への希求は、新しい技術を使って政府規制や体制の相違を乗り越えていった。この変化は、西側資本主義諸国、社会主義諸国、開発途上国に共通していた経済過程に対する国家の管理力を低下させた。しかし、グローバル経済は（宇宙は経済的可能性をほとんど示していないゆえに）地理的フロンティアをもたず、地球に閉じ込められた性質をもつものともなった。これらの変化の結果、国家の一定の役割を前提とし、また生産力の拡大に基づいていた戦後国際政治経済体制も変貌せざるをえなくなった。

まず、変化の影響を示したのは西側先進国であった。技術革新を利用した大規模な民間資本の国際的移動がブレトン・ウッズ体制の骨格を変えたのである。第一次世界大戦と恐慌の影響で、ブレトン・ウッズ体制の形成期には民間の国際資本移動はきわめて萎縮《いしゅく》していた。ブレトン・ウッズ体制において政府当局間の合意によって為替レートを固定することができたのは、民間の国際資本移動が小規模だったからであった。しかしこの状況は、第二次世界大戦後に経済が安定し、繁栄の趨勢が明らかとなると変化しはじめた。民間資本による国際金融取引が活潑化したのである。その最初の徴候となったのは、ヨーロッパの「ユーロダラー」であった。ユーロダラーとは、ロンドンを中心とするヨーロッパの国際金融市場で取引されるドル資本であって、その起源ははっきりしないが、一九四九年に中国共産党が保有するドル資産を、アメリカによる封鎖を恐れてパリの銀行に預金したことが最初であるという説がある。(3)その後、ソ連・東欧圏もヨーロッパにドル資金を預け、また英米の金融機関もそれぞれの政府の通貨規制・金融規制を嫌って自由に資本を運用できる市場としてユーロダラー市場を利用した。つまり冷戦体制のすきまをぬってユーロダラー市場は成長したのである。

一九六〇年代末までに国際金融市場は大きく成長し、政府当局が民間資本移動に対抗して通貨の固定レートを維持することが困難となってきた。特に社会福祉の拡充とベトナム戦争のために大幅な財政拡張政策を行って対外収支を急速に悪化させたアメリカは、固定相場制を管理するコストを支払えなくなってきた。アメリカが金とドルをリンクさせた基軸通貨国であるかぎり、経常収支の赤字を改善するためにドルを切り下げることができなかったからである。そこで一九七一年八月、アメリカのニクソン大統領は新経済政策を公表し、ドルと金の交換停止を一方的に宣言した。ただしこれは、西欧や日本に為替レートの切り上げを要求するもので、固定相場制を終える意図はアメリカにもなかった。しかしこのニクソン・ショックをきっかけに、民間国際資本が各国通貨の変動を予想して移動するようになり、為替相場をますます動かすようになった。ことに一九七三年に第一次石油ショックが起きると、産油国は新たに獲得した膨大な外貨を西側の金融機関に預け、それが世界を徘徊《はいかい》する巨大な資本市場をつくりだし、国際資本の制御はいっそう困難になった。

こうして、各国政府が保有する外貨準備をはるかに超える資本が行き交う巨大な国際資本市場が登場した。この状況で固定相場を維持しようとすれば、資本取引を強固に制限するか、国内経済への悪影響を覚悟して金利を操作するほかない。西側諸国は自由資本主義体制を維持し、国内経済での裁量を残すことを望み、為替の変動を受け入れることとした。ブレトン・ウッズ体制の土台であった固定相場制は、放棄されることになったのである。当初は、為替相場を市場に委ねることで、各国の経常収支を反映した合理的な為替相場の水準が実現されると主張する経済学者もいた。しかし現実には、複雑な計算を瞬時にこなすコンピュータ上で行われる資本移動は為替の市場価格を瞬間ごとに決定し、相場は刻々と変動することになった。しかもこの資本市場ではさまざまな思惑、投機も交錯し、為替レートが短期間で大きく上下するようになった。変動リスクを緩和するために金融先物市場が発達したが、そこに投機資金が大量に流れ込んで国際金融市場をいっそう膨張させた。九〇年代には一日に一兆ドル以上、貿易取引の数十倍もの為替取引が行われるようになった。イギリスの国際政治経済学者スーザン・ストレンジはこうした状況を指して「カジノ資本主義」と表現した(4)。

瞬時に移動する国際資本が為替に影響を与える状況は、「仮想の地球社会」化の一つの徴候であった。「仮想の地球社会」化はまた、国際分業のあり方も大きく変えることになった。生産面では海外直接投資が増加して企業の多国籍化が進んだ。かつては多国籍企業といえば一握りの巨大企業を意味していたが、現在では企業内で国境を越える部品やサービスのやり取りが行われることは珍しくなくなった。その結果、企業内で行われる貿易の比重が大きくなり（九〇年代には世界貿易の三割程度が企業内貿易であったといわれる）、「××国製」といった表現はかつてのような意味をもたなくなった。こうした変化によって、一国内の大量生産体制を前提とした組織された資本主義は機能しにくくなった。

加えて経済全体の消費経済化が進行した。先進国の人々は同じような大量生産品を買いそろえることに満足しなくなった。工業製品でもデザインやブランド、流行が重要になったし、消費者は食生活の多様さや生活の快適さ、娯楽や潤いを求め、また金融資産の運用を図るようになり、一次産業や三次産業が経済の中で占める意味が高まってきた。

こうした新しい国際分業の展開に応じて、ガットの場でも交渉の焦点は工業品の関税引下げから、一次、三次産業の自由化や、知的所有権、非関税障壁へと移ることになった。しかしこれらは従来、各国文化や政治に属する分野と見なされており、多角無差別を標榜するガットの交渉枠組みには乗りにくい性質のものであった。実際、一九七〇年代から先進国は自由貿易を標榜しながらも、単独での保護主義的措置を導入したり、複数国で経済圏結成の動きを強めたりして、国際貿易秩序としてのガットの比重は低下していったのである。

こうした世界経済の変化は発展途上国にも深い影響を及ぼすようになった。従来の国際経済体制に不満を強めていた発展途上国は、一九七〇年代には自国の天然資源を元手に開発を進めようという戦略をとったが、それは結果的に一次産品の貿易自由化を促すことになった。典型的には石油輸出国機構(OPEC)の石油戦略であり、輸出国カルテルの圧力で石油価格は急上昇したが、それによって北海油田などの石油の産出も増大し、石油の国際商品化が進んだ。しばしば言われるように、「石油を飲んで暮らすことはできない」以上、産油国は資源を高く売らねばならず、それは市場化を促したのである。また、途上国の一部は積極的な輸出振興と外資受け入れによって経済成長を図り、特にアジア太平洋地域ではこの開発戦略は成功した。アジアの「四匹の龍」(韓国、台湾、香港、シンガポール)やそれに続いた東南アジア諸国などであり、これら諸国は高成長を経験した。社会主義圏に属していた中国も、ソ連や東欧のようには工業化が進んでいなかったが、そのことがかえって輸出志向型改革への転換を容易にし、高成長を経験するようになった。

経済の実態は冷戦が終焉するまで隠されていたが、「仮想の地球社会」化による世界経済の変容によって最も深刻な打撃を受けたのは、ソ連東欧の社会主義諸国だった。一九五〇年代まで統計的には東側は西側に対して優位に立っていると見なしうる根拠もあった。しかしその背後には深刻な問題が生じつつあった。第一に急速な工業化は農業部門の犠牲の上に成り立っていた。農産物の卸売価格は低く設定され、農業の生産意欲は衰えた。農業部門の建て直しがスターリン後のソ連経済の最重要課題となったが、生産性向上のために一定の自由化を導入すると計画経済全体に不具合が生じ、路線闘争を招いて結局挫折せざるをえなかった。もう一つの問題は対外貿易だった。生産力が増加するにつれ、貿易の必要性も高まったが、貿易を進めるには共産圏内の各国が以前よりも特定産品に特化し、分業を促進せざるをえなかった。しかし一九五〇年代後半に一次産品輸出国の地位を割り当てられたルーマニアが反撥し、自主的な貿易政策を追求したことが示すように、計画経済と対外貿易を整合的に行うことはきわめて困難だった。また、東欧で繰り返し起こる政情不安や中ソ対立は共産圏内で安定した多角的な貿易体制が機能することを妨げていた。

こうして一九六〇年代には社会主義経済圏の沈滞は構造的なものとなった。ソ連経済の経験は、科学の力で社会の共同性の回復と近代社会を両立することを目指す「科学的社会主義」の主張は幻想に過ぎず、私的領域の存在しない経済は成り立たないばかりか、すべてが政治的権力闘争に転化する専制に至ることを示したのである。

さらに宇宙時代には、量と規模を重んじる従来の技術に代わって正確さと微細さが主導的な技術となった。しかし社会主義国の統制経済下では技術革新を新しい方向に転換させる動機は軍事を除いてほとんどなかった。特に民生用の情報関連技術の進歩は情報統制に頼る社会主義国にとって政治的タブーだったから、技術革新はむしろ抑制された。しかも石油価格の上昇は、ソ連と東欧の関係にくさびを打ち込んだ。産油国のソ連はしばらく東欧に国際価格よりも安い石油を供給したが、やがてそれに耐えきれなくなったし、逆に八〇年代には石油価格の低迷に苦しんだ。東欧も西側との交流に活路を見出さざるをえなくなった。ソ連にとって深刻だったもう一つの問題は、農業の不振だった。一九七〇年代初頭からソ連は西側からの農産物輸入に頼らざるをえなくなっていたのである。結果としてソ連経済はますます政府部門、特に軍需に頼るようになっていった。

一九八五年にソ連共産党書記長となったゴルバチョフは、今や最大の課題となっていたこの経済的停滞を打開するために、消費財の生産拡大や農業の生産性を向上させるべく改革を行ったが、逆に経済に混乱を招き、人心を失った。経済がすべて政治に転化されるソ連体制では、政治体制の変化なしに経済の大きな改革は不可能だったのである。東欧でもハンガリーやポーランドなど経済改革でソ連に先行した国家もあったが、いずれも宇宙時代への適応には成功しなかった。結局、一九九一年までにソ連東欧諸国はことごとく社会主義を放棄し、市場経済を採用した。

この経緯は、現在の世界経済においては自由主義経済が唯一可能な経済体制となったことを示しているかのように見える。たしかに自由主義は技術進歩を生み出し、受け入れるのに最も適合であり、かつ近代的自由の欲求の精神を反映している。しかし、スミスが見通していたように、市場はそれを統治する制度を必要とする。実際七〇年代から政治経済という言葉が復活したり、制度の経済学が語られるようになったりしたことは、グローバル経済の登場にともなって新しい地球的統治のあり方が求められるようになったことを反映しているのである。

3　地球的統治の課題

重層化する政治経済体制

地球的統治の第一の課題は、その中核的機能を衰退させたブレトン・ウッズ体制をどのように世界経済の変容に適応させるかであった。その過程は現在も進行中だが、国際的なレジームと各国の経済政策が絡みあった重層的な政治経済体制を生み出しつつある。

まず、グローバルなレベルでは、主要国による政策協調が中核をなしつつある。たとえば主要先進国サミットである。それは一九七五年にフランスの呼びかけで開始され、恒例化したもので、毎年主要国の首脳が集まって協議し、基本的な経済政策を相互に調整し、協調体制を確認するための組織であった。さらに一九八五年には、それまで秘密裡に行われてきた主要国の蔵相・中央銀行総裁会合も公式化し、G7として為替相場に影響を与えようとした。一九九五年には貿易に関しても、ガットに代わって世界貿易機関（WTO）が発足した。そしてWTOでも、米欧日といった主要国は事実上特別扱いを受けており、主要国主導で運営されている。

重要なことは、サミット・G7＝WTO体制がブレトン・ウッズ＝ガット体制の単なる修正、置き換えではなく、その性格や行動規範を異にしている点である。後者は、各国政府が国内経済を管理する能力をもつことを前提とした国際レジームであったが、前者は市場にシグナルを与え、指示・誘導によって市場を制御することを目標としている。WTOはガット以上に厳格で詳細なルールを定めているが、実際にはWTOの存在そのものが自由貿易主義の象徴となっていることが、各国の行動に影響を与える面が強い。

こうしたグローバルな体制は世界経済の大枠としての基本的な方向を示しているが、今日の政治経済体制としては十分ではない。主要国の間でも経済事情はそれぞれ異なり、協調の大枠では一致しても個別的には異なる利益をもっていることが少なくないからである。より具体的な体制は、部分的な範囲で定められる。たとえばヨーロッパ共同体（EC）からヨーロッパ連合（EU）へとつながるヨーロッパ経済統合は、地域的な枠組みの典型である。ヨーロッパ統合は一九五〇年代に開始されたが、世界経済の変動に対処するため、一九七〇年代末から経済政策の統合を強化しはじめたことが、九〇年代には市場、通貨統合に至った。世界のその他の地域でも、アメリカ大陸の北米自由貿易協定（NAFTA）やアジア太平洋経済協力会議（APEC）のように、政策協力や自由貿易協定の形で地域的経済協力が進展している。こうした地域的枠組みは経済的につながりの深い国同士の経済関係を安定させるとともに、個々の国家の世界経済に対する発言権を強めることにも役立っている。

さらに各国の経済政策が国際政治経済体制を生み出す局面も生まれている。八〇年代には「戦略的貿易政策」が語られたが、九〇年代には「グローバル・スタンダード」をめぐる争いに転化した。「グローバル・スタンダード」は世界経済で採用される標準規格を意味している。自らの技術に適合的な規格が広く採用されれば、需要は拡大し、膨大な初期投資を有利に回収できるので、標準規格の内容が重要な競争の対象となる。そうした規格は国際交渉によって定められることもあり、市場で多くの消費者に受け入れられて決まることもある。つまり規格競争は、技術的優秀性は決定的ではなく、支持獲得競争の面も強いのである。今日では技術情報は重要な資源だが、あえてそれを公開し、その技術が使用される場を提供することが、結果的に有利に作用することもあるのである。たとえばアメリカのインターネット技術は、こうしてグローバル・スタンダードとしての地位を獲得した。

このような多層的枠組みは、七〇年代にアメリカの国際政治学者ジョセフ・ナイとロバート・コヘインが提示した「複合的相互依存（complex interdependence）」という状態を実現しつつあるかに見える。しかしそれでは、国家は単にこの多層的枠組みの一つに過ぎず、国民経済の一体性は意味を失いつつあるのだろうか。

そうした見方は早計に過ぎるだろう。世界経済の統合にもかかわらず、経済単位として国民経済は依然として大きな比重をもっている。主要な先進国においては貿易が国内総生産に占める割合は二割から四割で、現在でも人々の経済生活の過半は国民経済の中で行われている。特に現在では、国内総生産の四割程度が税金や社会保障費として政府部門に吸収されており、このことは国家が経済に占める比重が大きく、かつ増大していること、そして今日でも人々が徴税される苦痛を受け入れる対象としては国家に代わる存在はないことを示している。その上で現在の国家の経済における基本的役割は、変動する世界経済に対して国民経済の安定性、一体性を保ちつつ、しかも世界経済と国民経済を適合させていくことである。

すでに触れた為替を例にとると、瞬間ごとになされる為替相場の決定は市場経済としては合理的かもしれない。コンピュータ上の仮想市場において、期待や投機心を含めて瞬時に多数の買い手と売り手の取引が裁定されることが、可能となっているからである。しかし、合理的ということは人間的ということとは異なっている。為替が国境を越える取引の決済手段でもある以上、為替が短期に変動することは人間生活全体にとって大きなストレスを与えるだろう。それゆえ、政府は為替の変動を市場の合理性に委ねるだけではなく、ある程度の安定性、予測可能性をもたせる役割を担うのである。

一般的に言えば、今日の国家は仮想空間を通じて成立するグローバル経済と現実の人間生活のギャップを埋める役割を果たさねばならない。国際分業にすべてを委ねるのではなく、国民経済の枠組みの中で一定の経済基盤を維持したり、文化的、社会的価値を守ったりしなければならない。重要な技術を維持発展させ、情報や物資の輸入に対して国民を保護するよう国家が配慮する一方で、国民経済の世界市場への適合性を増すような教育や公共的インフラ整備、たとえば今日「ディジタル・ディバイド」と呼ばれるような、グローバル経済にアクセスできない人々にアクセスの機会や能力を提供するのも国家の役割だろう。

そして、グローバル経済と国民経済を調停する政府の能力が問われるようになってきているのは、途上国の開発問題においていっそう顕著な傾向である。

グローバル経済下の開発と援助

先に述べたように、世界経済の変容は一部の発展途上国に大きな機会を与えた。特に太平洋地域のアジア諸国の多くが、一九七〇年代以降高い成長を経験した。しかしこの期間は世界的に富の不平等も急拡大した。国連開発計画（UNDP）によれば、世界の最も豊かな二〇パーセントと最も貧しい二〇パーセントの所得格差は、一九六〇年の三〇対一から一九九四年には七八対一に広がった。つまり発展途上国の中で、中進国、産油国、最貧国といった色分けが進み、開発の成功と失敗の差が大きく開いたのである。過去三〇年間にアジア諸国が先進国を上回る顕著な成長を示す一方で、中東やアフリカでは一人あたりの所得は伸び悩むか、低下した。この差はどこから生まれてきたのだろうか。成長したアジア諸国が世界経済への統合を積極的に進めたことは確かだが、中東やアフリカでも世界経済への統合は進んだ。むしろその差は、政治的条件の相違にあったと見るべきである。

まず、アジア諸国は特殊な国際政治上の条件下にあった。アジアは冷戦の前線地域であり、アメリカや日本は政治的理由もあってアジア諸国への援助を熱心に行った。さらに日米両国は世界の四割ほどの経済規模をもつから、日米から援助や投資を受け、さらに輸出市場として利用できたことがアジア諸国に有利に作用した。

しかしより重要な要因は、アジア諸国の国内政治上の条件であった。これらアジア諸国はおしなべて強い自負心ないしナショナリズムをもっていた。また、農業の生産性を向上させるのに必要な農地改革を行い、一定の範囲で競争力をもつ輸出産業を立ち上げ、海外からの投資を呼び込むに足る労働者を供給できる教育制度を整えた政府の能力もまた無視することはできない。そして何よりもこれら諸国が自由化、市場化をおおむね自発的に、かつ漸進的に行ったことが重要であった。

逆の面から政治の重要性を示すのが、一九七〇年代以降の多くの産油国の経験である。これら諸国は石油価格の高騰によって大量の外貨を稼ぎ、海外から多くの投資や技術移転を受けた。しかし国民としての統一性が弱く、市場化への意志が固まっていない社会が急速に資本主義を導入したことは、しばしば国民経済のバランスを崩し、富の不平等と政治的不安定を拡大することになった。その典型が七〇年代のイランであった。中東におけるアメリカの重要な同盟国と位置づけられていたイランでは、国王（シャー）が西側からの援助と石油収入によって急速な工業化政策を採用した。しかしシャーの急進的政策は社会の価値観を動揺させ、イスラム急進派の力を強め、やがてホメイニ師を指導者とするイスラム革命に火をつけることになったのである。

今日の発展途上国の政府の役割は、グローバル経済への統合を一方的に進めることでもなければ、伝統的な開発主義政策のように自ら主導して経済を発展させることでもない。グローバル経済への統合を進めつつ、市場のリスクを担保して国民経済に安心感を与え、また、グローバル経済への統合が進む部門とそうでない部門の間で生じる社会経済格差を埋めて国民経済の一体感を保つことである。前者については、たとえば国際資本を呼び込みつつ、その短期的な変動を管理する手法が必要となるであろうし、後者については、たとえばノーベル経済学賞受賞者アマルティア・センが強調するように、単に経済的価値に還元されない社会的、文化的側面を含めた開発の理解が必要であろう。

グローバル経済は、先進国が行う援助の意義づけについても論争を生み出している。一方では民間資本が豊富にある今日、援助は非効率と腐敗の温床になるという見解がある。他方では今日でも開発援助は有効であるという見解がある。さらに最近では、開発にともなうさまざまな苦痛や問題を緩和する目的を掲げ貧困削減、環境保護、難民支援、緊急人道援助などが重視される傾向も強まっている。

今日の援助が経済開発に対して果たす役割については、過剰な期待をかけず、適切な範囲で行うということであろう。世界経済の中で占める公的援助の比重は低く、援助を少々増やしたところで事態は変わりはしない。むしろ量的拡大を重視し過ぎることは、市場を歪め、腐敗を生むマイナスが大きい。しかし適切に考えられ、長く尊重される開発プロジェクトがないとは言えない。重要なのは供与国と被供与国の間で連絡を密にし、専門家を交えて少量で効果的な、ピンポイントの援助を行うことであろう。

また、援助が社会的、人道的側面を重視するようになったことは基本的に正しいが、そこには危険もある。供与国において援助を慈善事業と捉え、被援助国の感謝を期待する心理が高まることである。人類学者マルセル・モースが洞察したように、「与えるということはかれの優越性を示すことであり、また、かれがより偉大で、より高くあり、主人であることを示すことである(5)」。つまり、援助は無意識のうちにでも援助供与国の被供与国に対する優越、支配を意味するのであって、その面を忘れることは、援助国と被援助国との関係をおかしくしかねない。

また、援助の道徳性を強調することは、援助のための援助という論理に陥りかねない。緒方貞子元国連難民高等弁務官が述べたように、「国連難民高等弁務官（UNHCR）という組織の存続は決して祝うべきものではない(6)」。たとえば難民問題の真の解決とは、難民が自ら安住できる国家の下に住まうことを意味するのであり、難民の生活を助けることはその過程を支援しているに過ぎない。援助が問題を解決すると期待するのは先進国の住民の驕慢《きょうまん》ですらある。

しかし、それでも援助は行われなければならない。それは国際共同体がある程度は存在していることの証左となるからである。アダム・スミスは政府の正当な費用の中に「主権者の威厳を保つための費用」を含めていた。一見それは無駄のように見えるが、統治はある種の合理性を超えた価値もある程度配慮せねばならないことを、スミスは洞察していたのである。

先進国の援助の義務は「地球的統治の威厳を保つ費用」とも見なしうる。援助が問題の解決にとって決定的とはならないけれども、「地球的統治」のために行われねばならないということは、現在の国際政治の本質的な性質を示すものであろう。「仮想の地球社会」において、人類は国家の市民にとどまっていることはできなくなった。しかしそのことは人類が地球市民となりつつあることを意味するわけではない。こうした問題は、いわゆる地球環境問題について考察する時、いっそう明らかとなる。

地球環境問題

地球環境問題とは、人類の活動が地球全体の環境に重大な影響を及ぼしているという意識を反映した言葉である。たとえば人類の利用するフロンなどの気体によってオゾン層が破壊されることや、人類の活動から排出される温暖化ガスが地球の気温を上昇させるという地球温暖化問題がその典型とされる。

こうした問題が国際政治において議論されるようになった背景としては、意識面での転換が大きい。産業革命以来、人類は自然を変革することで物質的欠乏から自由になることを追求してきた。しかし、宇宙時代となって人類が一つの惑星において生活せざるをえないと認識した時、新しい問題意識が生まれてきた。人類の活動が地球環境に及ぼしている影響の程度については、まだ不明な点も多い。それにもかかわらず、地球環境問題が国際政治上大きな議論を呼ぶようになってきた背景として、二つのことを指摘できる。

第一に、科学技術の発達によって宇宙に到達した人類にとって、環境問題は人間性を問い直す意味をもつようになった。宇宙に住める可能性すらもつようになった人類は、地球環境が大幅に変化しても、科学技術の力で生き延びていけるかもしれない。しかしそれでは人間として生きるとはどういうことなのか、ということになる。もちろん、科学技術を放棄することは不可能だし、それは別の意味で人間性の喪失につながる。つまり科学技術と人間性のせめぎ合う場として、自然や環境の意味が問い直されているということである。

第二は、地球社会意識の反映である。地球環境問題の科学的実態はよくわからないにせよ、地球が一つであり、また人類は地球に縛りつけられた存在であるという認識が、地球環境を意識させるようになった。端的に言えば、地球の有限性が認識され、そのことへの恐怖心が環境問題を重視させる要因となっているのである。

したがって、地球環境問題は科学的問題である前に、シンボルであり、政治問題であった。そのことは、冷戦の終焉過程が地球環境問題への意識の浮上といかに結びついていたかに示されている。

戦後初期にソ連に対する「封じ込め」を提唱したアメリカの元外交官ジョージ・F・ケナ

ンが一九七〇年の『フォーリン・アフェアーズ』誌に論文を寄せて、環境問題について国際的行動を提言したことはその初期の徴候であった。ケナンは現代社会が人間性にもたらす脅威を常に意識した人物であり、彼のソ連体制に対する反撥も、原水爆への嫌悪も、その点で一貫したものだった。その彼が一九七〇年に冷戦よりも重要な国際政治上の課題として環境問題を取り上げたことは象徴的であった。彼はこの論文を次のような文章で締めくくった。

とりわけ、共産主義と西側の主要国は、衰えつつある冷戦への固執を、彼らが協力しかつ万人の利益のために追求できる関心へと移行させるべきである。世界中の若者にとって、新しい希望と創造性を開くことが緊急の精神的必要となっている。人類がその存在を依拠している自然環境の希望と美と健全さを回復する大規模な国際的努力以上に、これらの必要を満たし、今日の国際社会を悩ませる不安と根深い敵対の強い衝動を和らげるのに適した取り組みを他に考えつくだろうか。(7)

ケナンがこの論文に込めた訴えは、一九八八年の国連総会でソ連外相シェワルナゼがほとんど同趣旨の演説を行うことで実現された。

現在は、通常の軍事手段を用いた防衛を基本とする国レベルや世界レベルの安全保障という伝統的な考え方が、いまや完全に過去のものとなり、早急に改められなくてはならない、という主張の何たるかを、明確に理解しうるようになった、初めての時であろう。環境カタストロフの脅威という前にあっては、二極化したイデオロギー的世界という対立図式は、却下される。生命圏には、政治ブロック・同盟・体制という区切りなど一切存在しない。すべての人が、同じ気象体系を共有しており、誰一人として、環境防衛という自分だけの孤立した地位に立てるわけではない(8)。

実際、冷戦と併行して進行した地球環境問題は、地球社会の新しい統治のあり方を示すものとなった。一九七二年、スウェーデンによって提唱された国連人間環境会議は、国連主催で開催された会議の最初のものであった。この会議には一一四ヵ国と国際機構が代表を派遣し、「人間環境宣言」、「人間環境に関する行動計画」とそれらの実施決議が採択された。この会議の結果、国連環境計画(UNEP)が設立された。一〇年後にはUNEP本部のおかれたナイロビで国際会議が開催され、さらに一〇年後の一九九二年にはリオ・デ・ジャネイロで国連環境開発会議(国連環境サミット)が開催された。この会議には一七二の国と多数の首脳が参加し、「気候変動に関する国際連合枠組条約」、「生物多様性保護条約」や経済開発と環境保護を統合することを謳った「アジェンダ21」宣言などが採択された。

こうした大規模な「地球的会合」のもう一つの特徴は、NGOの関与の程度が大幅に強まったことである。活動的な市民団体や、環境の専門的知識をもつ研究者集団などが国際会議での議論に加わった。国連人間環境会議では準備段階まで含めると数百のNGOが関与したといわれるし、その中には会議に間接的に影響力を及ぼしたものもあった。さらに正規の会合と併行してNGOが主催するフォーラムが開催され、一種の「世界世論」によって正規の会合に圧力をかけるとともに、世界の注目を集めようとした。一九九二年の環境サミットでは、一五〇〇ものNGO登録団体が参加し、七〇〇〇人の報道関係者が集まった。

このような実例に今日的な地球的統治の一つのモデルを見ることができる。図5（次ページ）はこうした状況を歴史的変化を視野に入れて図解したものである。ヨーロッパの主権国家体制が固まった十八世紀には、主権者間でその代理人を通じて行われる外交が国家間関係を制御していた。十九世紀になり、国民の政治参加が拡大すると、世論が外交に対して一定の影響力を及ぼすようになった。さらに二十世紀になると、国境を越えて指導者が民衆に呼びかけることや、民衆同士のつながりが国際政治に影響を与えるようになった。今日では、国際機構や非政府組織が独立した主体として、国家や国民とともに外交に参加し、外交そのものが内政と融合した地球的統治の状況を呈するようになってきたのである。

しかし地球環境問題は、新しい地球的統治の問題を典型的に示してもいる。周知のように、大規模な国際会議では、総論についての一致と個別的利害をめぐる激しい応酬とが共存する。会議の参加者は包括的なテーマ、たとえば地球的環境問題が重大であり、しかも地球全体の国際協力によってしか解決しえないことについては、異存なく賛成する。しかしその問題の

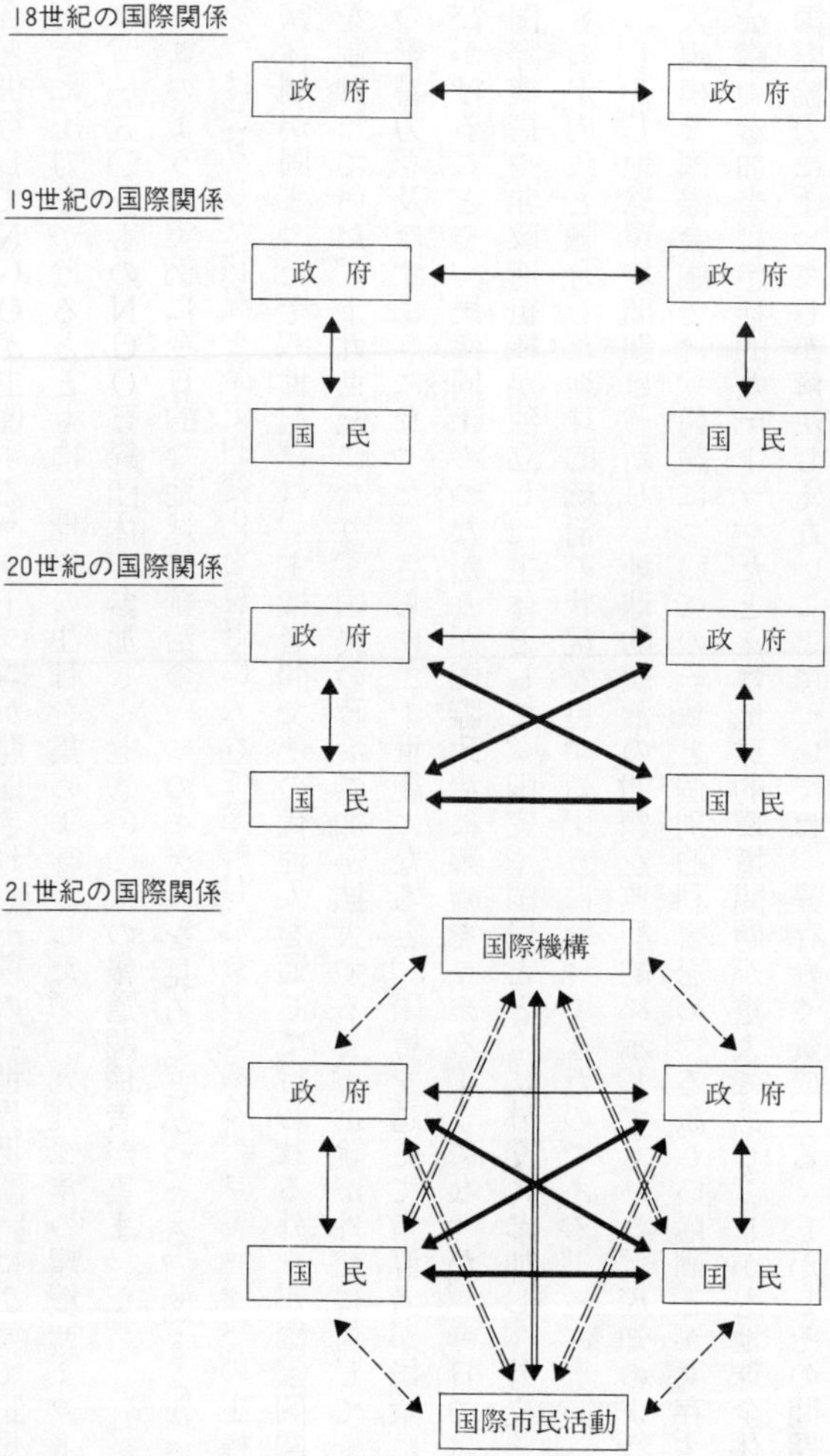

図5　国際政治アクターの変化

解決のためにどれほど負担をすべきかという段になると、個別利害を優先させる。たとえば「気候変動に関する国際連合枠組条約」は「大気中の温暖化ガスの濃度を安定化させることを究極の目的」としつつ、条約当事国の義務については情報提供や国際協力についての一般的な規定しかもっていない。そして環境規制が開発を抑制することを懸念する発展途上国の感情を和らげるために、「持続可能な開発」や「共通に有しているが差異のある責任」といった不明瞭な表現が多用され、また早急な温暖化対策を求める島嶼《とうしょ》国と、化石燃料の利用制限に反対するエネルギー輸出国それぞれの立場に配慮することが言及されるなど、妥協の跡が明らかである。「枠組条約」はこうした妥協の上に一般的原則を掲げただけだったために、世界のほとんどの国がすぐさま批准できたのである。

ところが一般的内容を超えて具体的に国家の義務を規定する国際合意、たとえば地球温暖化に関する京都議定書のような合意については、合意も批准も困難となる。こうしたことはしばしば主権国家のエゴイズムとして非難され、結果として国際機関やNGOへの期待をいっそう高める。しかし、国際機構の官僚やNGOの代表は地球的利害を担っているとは言えない。形式的にも彼らは代表として誰かに責任を負う存在ではないし、実質的にも彼らが反映している利害は、環境なら環境という特定分野についてだけである。国内社会におけるように、諸集団がさまざまな利害を反映し、その妥協点を見出すという多元的な政治過程は、特定問題をテーマとする大規模な国際会議においては起こりようがない。
今日、自発的な社会集団の結成を通じた意見表明、政治関与は民主主義の基本的な要件と見なされるようになっており、市民社会（civil society）という言葉で表現されることもある。しかしこうした活動は、自由民主主義の体制をとる国民国家の制度的、意識的枠組みを前提として初めて有効に機能する。そのような前提を欠く地球社会において、「地球的市民社会（global civil society）」が実現するとは考えられない。

それでもなお国際機関やNGOがたとえ政治責任を負っていなくとも問題を科学的に分析し、合理的な解決策を提示して国家にそれを強制すべきではないかという反論がなされるかもしれない。しかし、そうした主張も短慮である。

たしかに地球環境に関する問題では科学的知見の進展・深化が不可欠である。そして一定の科学的調査が国際合意への圧力となることもある。たとえばオゾン層保護のためのフロンガス規制はその例である。化学的に安定した物質であるフロンは広く使われていたが、まさにその安定性のために分解せず、紫外線を遮っているオゾン層を破壊しているという説が提唱された。一九八五年には「オゾン層保護のためのウィーン条約」が採択され、二年後にはその実行を図るモントリオール議定書が採択された。この間、フロンの使用とオゾン層の破壊の因果関係について研究が進められ、その関係の存在を支持する見解が有力となり、同時に南極上空に存在する巨大なオゾン・ホールが確認されたことでフロン規制へのはずみがついたのである。

しかし科学と政治を直接的に融合させることには危険が大きい。たとえばある時点での最良の科学的予測も現実に裏切られることは珍しいことではない。その典型的事例は、一九七二年に出された有名なローマクラブによる委託報告書『成長の限界』であろう。[9] この報告は、第二次世界大戦後に起こった経済成長を今後も続ければ、やがて人口増加と資源の枯渇、環境の悪化によって工業生産は低下せざるをえなくなることをシミュレーションによって示し、世界に衝撃を与えた。そして公刊後ほどなく起きた石油ショックによって石油価格が急騰すると、報告書の予言が実現しつつあるかのように受け取られた。

しかし実際に起きたのは、石油消費国の予想以上の省エネルギー化と資源価格の上昇、技術発展による新たな資源の発見、生産の拡大であった。石油については、当時の消費水準のままで三一年、埋蔵量が五倍に増えたとしても消費の伸びを含めると五〇年で枯渇するとされたが、三〇年後の現在でも資源の枯渇まで三〇年余りという数字は変わっていない。もし一九七二年の時点でこの報告に基づいて資源の利用に対する国際的規制を導入していれば、新たな資源の発見や省資源技術の発展といった誰も予測できなかった展開は起きなかったに違いない。

それ以上に大きな問題は、科学と政治との結びつきが科学の基礎を崩しかねないという危険である。近代科学の基本的前提は、科学的探求が個人の精神的自由と結びついており、間違った説を述べても罰せられないという点にあった。こうした前提が自由な発想を生み、人類の科学的知見を総体として進歩させたのである。科学者は政治的に無責任であるからこそ科学は進歩しえた。しかし科学と政治が密接に結びつくと、科学者自身が権力者に転化しかねず、科学の権威も脅威にさらされる。加えて、科学者といっても人間であり、意識的、無意識的に自己の属する社会の価値観を反映するし、場合によっては自己の研究上の利益の観点が入らないとも限らない。しかも、高度で先端的な科学は一般人には開かれていないから、その内容を広く検証することは困難である。こうした状況を考える時、先端的な科学が直接に政治と関わることは、政治をプラトン的哲人政治とし、科学を中世の神学のような存在に転化しかねない。

結局、地球的統治の問題は政治的解決による妥協と客観性に基づく政策的解決の組み合わせによる他ない。たとえば先のフロン規制が比較的容易に実行された背景には、科学的知識の後押しに加えて、それが自然界に存在しない物質であるため発生源や発生量の特定が容易であり、規制をかけるコストが低かったこと、また、オゾン層への影響の小さい代替ガスをアメリカのデュポン社が発明しており、オゾン規制自体がアメリカ企業の利益になったことがあった。つまり、世界経済の中心であるアメリカの利益にかなったために規制が順調に進んだのである。

　もちろん地球的統治にとって国家エゴは問題である。しかしそれは国家代表の心がけや視野の広さに問題があるのではなく、国際政治の構造そのものに由来する問題である。国家の代表にとっては国際会議の場で自国の利益を守り、伸張することはそれ自身公的な責務である。彼らは人類全体を代表すべきいかなる政治的義務も負っていない。彼らが地球全体の利益も考えて行動することは許されているが、それは自国の利益と一致する範囲内においてであり、自国の利益に反する決定を支持することは彼らにとっては義務違反となるのである。

　要するに、国家エゴとは、人々の忠誠心の対象が圧倒的に地球社会にではなくて、国家に向けられていることの帰結なのである。そのような状態であるかぎり、地球的統治は国家がその国民に対して義務を課す形式でなければ実効的なものにならない。現実に、地球環境に関する条約には、「締約国は……する」といった条文が並んでいるのであり、国家が条約実施の基本的主体であることは明らかである。地球的統治について「政府なき統治（governance without government）」という表現が用いられることがあるが、本当は「諸政府との統治（governance with governments）」でしかありえないのである。

　もちろん、国際機関やNGO、専門家が果たす役割が大きくなっていることは間違いないし、時には大規模な国際会議も意味をもつであろう。しかしそれら諸アクターの努力は、地球的統治の正面に立つことよりも、各国の国民に対して地球的課題の重要性の認識を深めさせ、各国政府の行動をより協調的なものとすることに向けられるべきである。主権国家が地球的統治に対して国際共同体としての性格を強めて初めて、持続的で実効的な問題への取り組みが生まれるのである。

しかしここで次のような指摘は可能であろう。つまり、人々の忠誠心が現時点では国家に向けられているとしても、人々の意識はますます国家から地球社会へと移行しつつあるし、その方向が目指されるべき目標なのだと。実際、近代ヨーロッパに生まれた国際政治の特徴は、政治的に複数の国家に分かれながらも、その基盤に人類の普遍性への期待、すなわち世界市民主義が存在したことであった。「仮想の地球社会」化によって、世界市民主義が「地球市民」意識へと転換を遂げることは期待できるのだろうか。またそれは望ましい方向なのだろうか。

引用・参考文献

(1) アダム・スミス、水田洋監訳・杉田忠平訳『国富論』全四巻　岩波文庫、二〇〇一年

（2）ゲルト・ハルダッハ／ユルゲン・シリング、石井和彦訳『市場の書――マーケットの経済・文化史』同文館出版、一九八八年
（3）田所昌幸『「アメリカ」を超えたドル』中公叢書、二〇〇一年
（4）スーザン・ストレンジ、櫻井公人他訳『マッド・マネー』岩波書店、一九九九年
（5）マルセル・モース、有地亨訳『贈与論』勁草書房、一九六二年
（6）国連難民高等弁務官事務所編著、UNHCR日本・韓国地域事務所広報室訳編『世界難民白書二〇〇〇』時事通信社、二〇〇一年
（7）George F. Kennan, "To prevent a world wasteland: a proposal", *Foreign Affairs*, Vol.48, No.3, April, 1970.
（8）米本昌平『地球環境問題とは何か』岩波新書、一九九四年
（9）ドネラ・H・メドウズ他、大来佐武郎監訳『成長の限界――ローマ・クラブ「人類の危機」レポート』ダイヤモンド社、一九七二年

第四章　価値意識の位相

桂離宮（©中田昭）

1　文明意識の展開

文明論の形成

近代人が開始した自由の探求と科学技術の発達は「仮想の地球社会」に到達した。人類は地球を共有すると同時に、地球に縛りつけられた存在であることを意識するようになった。そのことは、人間の価値観にいかなる影響を及ぼすであろうか。人類は初めて、理念としての世界市民主義ではなく、地球市民としての自覚を備えた存在となり、地球を分かっていた政治的分裂は超克されるのだろうか。

人類の価値の普遍的な統一によって永久の平和を実現したいという願望はきわめて古い。たとえば世界的宗教はほぼ一貫して、布教によって平和を広げることを説いてきた。新約聖書にある、「いと高き所では栄光が神に、地では平和がみ心にかなう人々に！」という言葉は、その端的な一例である。

しかし、あらためて指摘するまでもなく、熱烈な信仰心は血なまぐさい対立の原因ともなってきた。十字軍や宗教戦争の例がすぐ思いつくし、日本でも平安時代から戦国時代にかけて仏教が大きな権力を握り、闘争を行った。十七世紀の思想家パスカルが、宗教戦争の時代をふり返って「人は、宗教的信念によって行うときほど、喜び勇んで、徹底的に悪を行うことはない」(『パンセ』)ともらしたのもうなずける。人間は、自らの正しさを信じる時、最も活動的になる生き物である。理想社会への信念が強ければ強いほど、自分に従わない者を邪悪な存在と捉えることになるから、理想社会を地上に実現しようとする者は最も激しく戦うことになるのである。

近代ヨーロッパは宗教戦争の苦い経験から、宗教と政治を区分し、政治的世界の主役の座は主権国家に譲り渡された。しかしヨーロッパにおいてキリスト教の影響は強く行き渡っていたので、その影響を脱し、人々に新たな価値観を提供する思想が必要だった。それを与えたのは、古代ギリシャ、ローマの思想であり、なかでも普遍的な世界や理性、自然といった観念と結びついた世界市民主義であった。この思想は近代の最も基本的な価値とされた、何ものにも囚われない自由(liberty)の観念と親和的だったのである。

しかしやがて、世俗化、産業化が進むと社会をまとめるための、より積極的な行動規範、価値観が求められるようになった。近代社会にとってそれは難問であった。積極的な価値の問題を個人の内面に限定し、社会的側面から切り離すことが近代的自由の一つの含意だったからである。個人が社会の一員として、また政治との関係においてどのように行動すべきか、というテーマが道徳哲学や倫理学の問題として十八、十九世紀にさかんに議論されたのは、それがまさに近代の難問だったからである。

この時期の知識人が難問の解決の手がかりを求めたのは、やはり古代都市国家の思想であった。「都市に住まう者」としてラテン語に由来する、市民（citizen, civil）という言葉が鍵となった。ただし近代においてこの言葉に込められた意味は、二つの系譜に分けられる。第一はローマの伝統をより強く意識し、法、権利、正義といった制度的観点から人間の行動規範、倫理を設定しようという系譜である。第二は、プラトンやアリストテレスに代表されるギリシャ都市国家の倫理思想を模範として、政治共同体に属する人間の有徳性を再生しようという観点である。この二つの系譜が混ざりあい、変容しながら、ヨーロッパの倫理思想は展開したと言える。

前者は、すでに古代ローマ法が世界市民主義的なストア哲学と融合していたこともあって、普遍的、世界的志向性をもっていた。同時に、近代的自由の精神の延長線上にあり、人間の内面価値の問題には直接触れず、制度的、外在的観点を重視する傾向をもっていた。この系譜は今日、自由主義（liberalism）、普遍主義（universalism）と呼ばれる思想につながっていく。

これに対して後者は、ギリシャ都市国家が衰亡して登場した世界市民主義とは相反する傾向にあり、共同体に帰属することに積極的な価値を見出すことを重視した。拘束からの自由に対して参加することへの自由（freedom）を重視する傾向をもっていた。この観点は、共和主義（republicanism）と呼ばれる系譜につながっていく。

近代の文脈で、ローマ的な法的正義とギリシャ的な有徳性とが混在していたことを端的に示すのは、近代における civility という言葉であった。近代初頭からこの言葉はよく使われるようになったが、それは古代のように市民的倫理を直接的に指す言葉としてではなく、都市住民のもつべき属性を示す言葉としてゆるやかに用いられた。それは都市に住む人間が単に生きること以上の精神生活を享受し、合理的な精神をもち、法に従い、自らの行動を秩序づける礼節をもつことを意味していた。civility は自由な都市住民の生活道徳を指していたのである。

civility という概念には、ローマ的普遍性とギリシャ的共同体性の双方が含まれていた。たとえば十六、十七世紀のヨーロッパの知識人は、トルコや中国、日本の社会をキリスト教を信じていないものの civility をもつ社会として表現し、ローマ的普遍性の性質を示した。これに対して農民や都市の労働者、アフリカや西インド諸島の住民に対しては、おしなべて civility をもたない人々と判断し、ギリシャに顕著だった文明と野蛮を対比的に捉える観点を示した。civility はいかなる人間にも普遍化できるのか、そうすべきなのか、それとも一部の人間や社会に固有の価値なのかが繰り返し議論されることになった。

十八世紀の後半、宗教の後退と社会的諸勢力の上昇にともなって、近代社会における倫理をめぐる議論は新しい段階を迎えた。この時期に、歴史の方向を決めるのは神や運命ではなく人間だという歴史感覚が生まれ、しかもこの感覚は人間理性によって歴史は進歩しうるという進歩主義をともなっていた。そして一方では、自然法思想を引き継いで人間の生得の権利としての普遍的人権思想が生み出され、他方では、十八世紀にヨーロッパが豊かな社会になるにつれて、物質的条件の改善と人々の有徳性の向上とは結びついているという議論がなされるようになった。この両者が混ざり合う過程で、文明（civilization）という新語が作られた。わかっている限りで最初にこの言葉を使ったのはフランスの重農主義者ミラボー伯だが、彼の「宗教は、異論の余地なく、人間性の第一の、そして最も有益な歯止めであり、文明の第一の原動力である」という記述は、宗教に代わる倫理として文明意識が登場する過程をよく示している。(1)

こうして十八世紀後半に「文明」意識が登場したが、この意識は普遍主義的で制度的、外在的観点と、共同体主義的で精神的、内在的観点の間で揺れ動くことになった。英仏においては前者の側面が強く出た。普遍的人権論はアメリカ大陸を含めたヨーロッパ人社会における変革の原動力となり、非西洋社会との関係を図る尺度を提供することになった。特に英仏では、十九世紀の前半、文明は歴史の進歩という概念と結びつけられて、人々が啓蒙され、物質的、科学的発展が進んだ社会状態を指す言葉となった。イギリスのバックルやフランスのギゾーがその代表的な表現者であり、福沢諭吉の『文明論之概略』（一八七五年）はこうした文明観を下敷きに書かれたものである。フランスやイギリスでは、歴史の進歩という意味での「文明化」の担い手として、「国民（nation）」概念が生み出されることになった。

十九世紀中頃から西洋諸国がアジア・アフリカ地域と接触を深めるにつれ、文明概念は国際法の重要な原則と見なされるようになった。今から考えるといささか信じがたいが、十九世紀の末から二十世紀の初頭には、国際法は文明—野蛮—未開といった言葉を正面から用いて世界の諸民族を区分した。その上で、国際法とは「文明国の間の法」であると定義され、国際法の下で完全な法的主体となるのは文明水準に達した、ヨーロッパやヨーロッパ人移民がつくった国家のみであるとされたのである。ここでの「文明国」とは、（1）特に外国人の生命、尊厳、財産を守り、移動や通商、信教の自由を許すこと、（2）ある程度効率的な国家官僚制をもち、ある程度の自衛能力をもつこと、（3）一般に認められた国際法に従い、法の正義を守る司法制度をもつこと、（4）適切な常駐外交使節と通信の能力をもつことで、国際システムの義務を果たすこと、（5）一般に「文明的」と見られる社会習慣をもつこと、たとえば多夫多妻制や奴隷制をもたないこと、を意味していたとされる。[2] こうした用法は、到達すべき基準としての「文明」という語義を継承し、非西洋世界との関係において適用したものと理解することができる。

こうして十八世紀に生まれた文明概念は、十九世紀には西洋がその政治的拡張にともなって、世界を秩序づける概念用具となった。そこには、近代の拡張可能性を信じる普遍主義的精神と、西洋の優越を当然視する共同体主義的精神とが入り交じっていた。しかし文明概念が前者の要素をより強く、一般的な進歩主義の形で表現していたことが重要であった。日本をはじめとする非西洋諸国は、一定の制度的条件を備えれば「文明化」することができるという可能性は残されていたのである。実際、日本が法制度の整備や軍事的、経済的近代化によって完全な主権国家を獲得した時、文明は形式的、制度的基準としての側面を強めたのである。

「文化」の挑戦と文明の相対化

英仏の普遍主義的、進歩主義的な文明論に対して、ドイツにおいては共同体主義的、伝統主義的主張がなされた。文明論は十八世紀末にドイツにも移植されたが、ドイツでは英仏の文明論の前提となっていた物質的進歩の前提を欠いていた。そのため、ドイツではより内面的、精神的側面を重視した「文化」という言葉が用いられた。ドイツ人にとっては、ドイツ語やドイツの伝統に根ざした芸術こそがドイツ人の内面を高め、かつ精神的自由の表現なのだと理解されたのである。たとえば十九世紀初頭に哲学者フィヒテが行った「ドイツ国民に告ぐ」という講演は、啓蒙主義的な文明論と民族ナショナリズム論を架橋する内容をもっていたと言えよう。(3)

文化と民族性を結びつける傾向は十九世紀の前半にはまだそれほどはっきりしていなかったが、世紀の後半にはドイツの一般的思潮となった。この際の特徴は普遍主義的で物質的、技術的な西欧「文明」に対して、精神的、内面的価値を表現するのは「文化」であり、歴史的伝統や芸術に代表される知的側面、人間的教養こそが真の人間的価値を示すという対抗的、反撥的観点である。この頃「文化」がドイツ風に Kultur と綴《つづ》られるようになったことが示すように、文化は何よりも、各民族の精神を体現するものと捉えられた。歴史主義や新カント派の哲学の影響の下に、「文化」はドイツ知識人のキーワードになった。

ドイツ流の「文化」観を国際政治に対して適用する立場も登場した。ドイツの文筆家シュペングラーが第一次世界大戦後に公表し、大きな反響を呼んだ大著『西洋の没落』（一九一八〜二二年）は、その代表的なものであった。

西洋の思想家に欠けていることで、そうして正しく彼にこそ欠けてはならないことがある。それは、自己の成果の歴史的相対的性質の洞察であり、それの妥当性の必然的限界に対する知識であり、彼の「揺るぎない真理」と「永久の見解」とが、ただ彼にとってだけ正しく、彼の世界観においてのみ永久であるという確信であり、それからそれ以上に他の諸文化の人間が同じ確信で自己のなかから発展させたことを探究する義務である。(4)

シュペングラー説は、第一に文化を精神性、内面性において捉え、西洋文化を空間的、時間的に相対化し、第二に西洋文化も、過去に存在したか、現代世界に存在する多くの文化と比較可能な存在に過ぎないと捉える。爛熟《らんじゅく》して堕落し、内面的な強さを失いつつある物質文明と対峙《たいじ》的に文化を捉えている点で、シュペングラーはドイツ的文明・文化観に基づいていたのである。彼の目には西洋文化はエジプト、中国、インド、アラビア、ギリシャ・ローマの文化と比較可能であり、他の文化が文明段階に達してやがて衰退したように、西洋文化もまた文明段階に入って衰退の徴候を見せはじめていると映ったのである。

シュペングラーのこの著作は強引な論証が目立ち、独断的な決定論に陥っているとして強く批判された。そうした批判は実証的、経験的な歴史学の観点からは正当なものであった。しかし彼が提示した視角そのもの、つまり、世界には複数の文化圏が存在し、ヨーロッパもその一つに過ぎないこと、また、世界というレベルで歴史を考える際には、個々の国家よりも文化圏といった単位で考察するべきこと、といった発想は、二十世紀の国際政治において無視できない影響を残すことになった。

ドイツとは異なる角度から十九世紀の文明論に挑戦したのは日本であった。二十世紀初頭に日本が完全な主権国家の列に加わったことは、文明概念の形式化を進行させた。その後、第一次世界大戦後のパリ講和会議において議論された国際連盟規約の起草過程で、日本代表が人種平等条項を提起したことは、さまざまな思惑を抱えていたとはいえ、西洋文化と近代文明概念を切り離す方向をいっそう強めるものだった。人種平等条項は採択されなかったが、一九二一年に設立された常設国際司法裁判所の規程では日本は成功した。この規程は、裁判官の選任にあたって「裁判官全体のうちに世界の主要文明形態及び主要法系が代表されるべきものであることに留意しなければならない」(第九条)と規定し、また、裁判所が拠るべき国際法の準則の一つに「文明国が認めた法の一般原則」を挙げ(第三十八条)、「文明」条項が含まれていた。この文言は日本の要求を容れたものであり、近代的な司法制度をもち、しかも西洋に限定されていないという意味で、日本に事実上固定的に判事の椅子を与えることを意味していたのだった。

ドイツや日本のこうした挑戦を受けて文明論を変容させていったのはイギリスであった。ドイツ的な「文化」概念は、十九世紀後半にはイギリスに輸入された。しかしドイツのように物質文明と精神文化を対立的に捉えるのではなく、野蛮から文明への進歩を一貫した視座で捉える観点として採用された。特にこうした観点はイギリスが帝国統治の過程で発展させせた文化人類学によって育まれた。たとえば『原始文化』(一八七一年)を著して文化人類学の開祖の一人と見なされるエドワード・タイラーは、高度に発達した「文明社会」と対比される、未発達の社会の風俗習慣を観察し、後者を「文化」と名づけた。彼が『原始文化』の中で示した「文化」の定義、すなわち「文化もしくは文明とは、その広い民族誌的な意味においては、知識・信仰・芸術・道徳・法律・慣習その他、およそ人間が社会の成員として獲得した能力や習性の、複合的全体」という定義は、今日でもしばしば引用される。[5]それは「文明」を「高度な文化」として位置づけることで、それまでの野蛮と文明という対比から相対主義的方向に踏み出したものであった。

第一次世界大戦後にシュペングラーの文明史観に触発され、それをイギリス流の文明史観に再構成したのはアーノルド・トインビーだった。彼はイギリス流の文明観、すなわち発展した文化を文明して捉える立場を守りながらも、西洋文明の相対性、文明の消長といった観点をシュペングラーに学びつつ、世界史を文明の成衰という観点から捉えて、大著『歴史の研究』にまとめていったのである。他方でイギリスは、西洋文明とは異なるが高度に発達した文明として日本を位置づける、ジェームズ・マードックやジョージ・サンソムのような研究者を生み出した。[6]こうした捉え方も、相対的、文化的文明観の発達を促した。

しかしイギリス帝国においても、インドにおける異民族支配やオーストラリアなどの人種

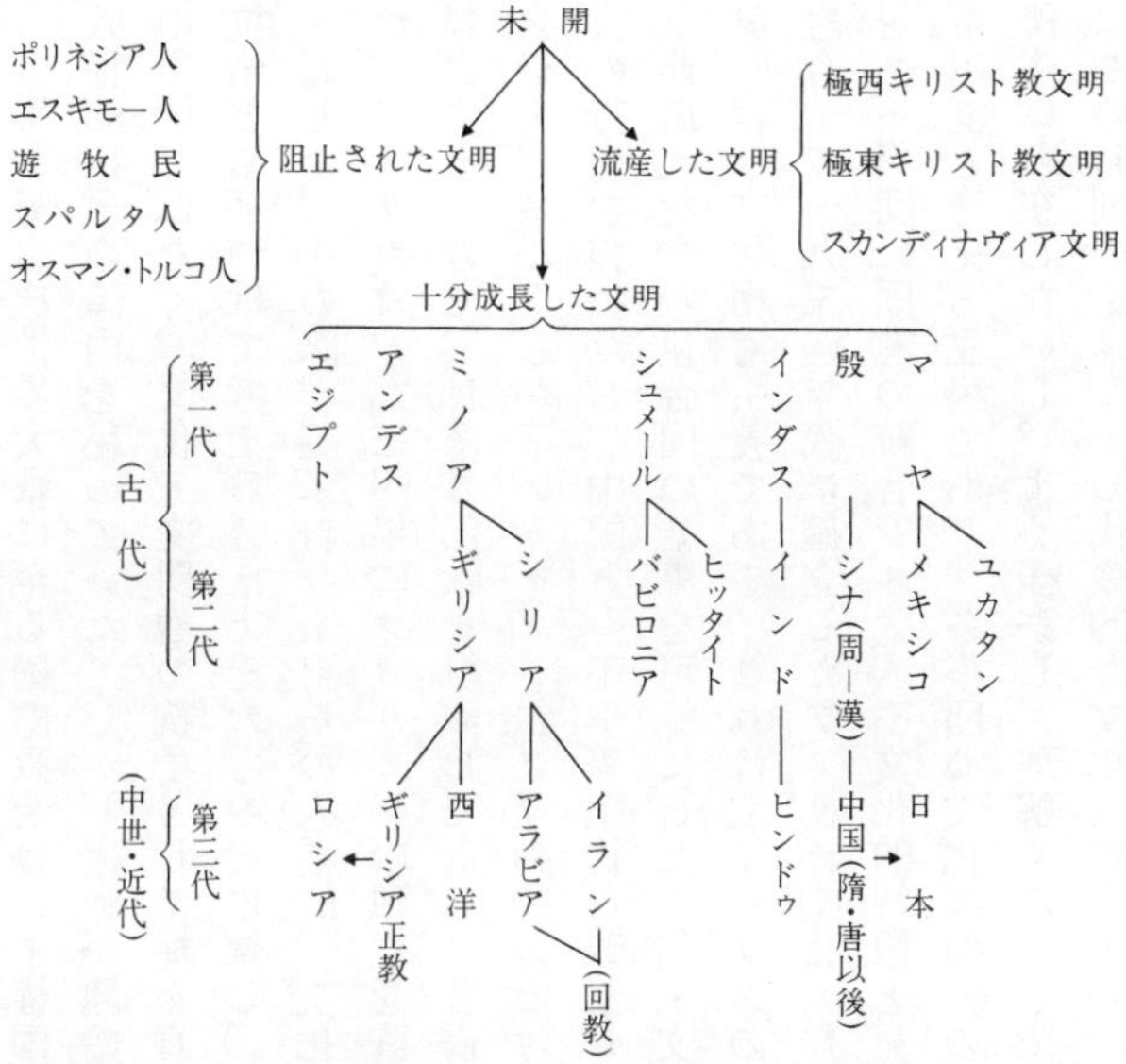

図6 トインビーの文明世代論　（出所）山本新『文明の構造と変動』

差別的移民制限が示すように、現実には人種論的文化差別は強かった。あるいはアメリカでも、奴隷解放後にかえって黒人差別がいっそう強まり、また西部を中心にアジア移民への反撥が強まって人種差別的移民法が制定されるなど、人種や民族が重要な政治的意味づけを与えられていた。ナチス・ドイツは人種主義を極端まで推し進めたし、日本はアジア主義を標榜した。ジョン・ダワーの『容赦なき戦争』が描き出すように、人種主義、文化的相違に基づく敵対心が第二次世界大戦の一つの側面を成していたことは否定できない(7)。

つまり第二次世界大戦に至る国際政治は、主権国家間の闘争であるだけでなく、文化的、人種的抗争の傾向を秘めていた。しかし大戦が開始されると、連合国は戦争を文化・文明間の争いではなく、文化・文明観の抗争として捉え直した。つまり人種や文化を政治的対立、抗争と結びつけて考える考え方そのものを攻撃し、より普遍的な文明のために戦うとして捉え直した。その際、英米自身も自らの人種的、文化的差別政策を変更していく必要に迫られた。アメリカは一九三四年にフィリピンの独立を許し、大戦中、日系人移民を収容所に強制収容する一方で、日系人部隊を組織して自らの普遍的大義を示そうとしたし、イギリスもガンジー、ネルーらが率いるインド独立運動勢力の対日戦協力を取り付ける代わりに自治権拡大の方向を強めたし、中国とも不平等条約を改正した。

非白人を含む連合国の結束を可能にした文化・文明観は二つの要素から成り立っていた。第一は、文化相対主義である。これは、イギリスの文化人類学がアメリカ原住民研究などと融合して一九三〇年代に確立したアメリカ文化人類学の基本的立場であった。それは、文化をある集団に固有の統合システムや文化的特徴と見なし、研究者が観察、記述することで理解可能と考える立場であり、各集団の文化は個人の性格や癖と同じく、皆異なってはいるが優劣は存在しないし、よく観察し、理解することで共存は可能になるという考え方であった。

この時期のアメリカの代表的な文化人類学者の一人、ルース・ベネディクトは「文化様式論」という形で文化相対主義を主張したが、同時に、大戦中に戦時情報局から依嘱を受けて行った日本文化研究『菊と刀』（一九四六年）の著者としても重要であった。[8] この報告は、従来の西洋人の日本文化研究と日本兵捕虜に対する聞き取り調査を主要な材料に、日本人全体の民族的特性、いわば「国民性」を分析した。彼女の分析手法や、日本文化を「恥の文化」と特徴づける結論には公表当時から多くの批判がなされた。しかし文化人類学的手法に基づく国民性論は、ドイツ流の民族主義論を相対主義的な国民国家論へと吸収し、文化を脱政治化すると同時に、文化の相互理解が国際協調を強めるという「文化国際主義[9]」の基盤を提供するものであった。

連合国の文化・文明観の第二の要素は、文明概念を法、権利、正義といった抽象的、形式的レベルで定義し、その普遍性を主張して国際的支持を獲得することであった。米英は一九四一年八月の大西洋憲章で、「ドイツのヒトラー主義とそれに協力するその他の政府が開始した征服による世界支配政策から生じる世界文明への危険」に言及し、枢軸国との対決を文明対野蛮という枠組みで捉えた。特定の文化と切り離された形で文明を語ることは、やがて文明という言葉を政治の議論では使われないものとしていった。

次第に文明という表現は、法的普遍性、平等性という観点に置き換えられていった。たとえば国連憲章が第一条三項において「人種、性、言語又は宗教による差別なくすべての者のために人権及び基本的自由を尊重するように助長奨励すること」を国連の基本目的の一つに掲げたことは、人権の普遍性、平等性に言及することで、十八世紀の啓蒙主義的、世界市民主義的理念を政治的に確認するものであった。さらに一九四五年十一月に定められたユネスコ憲章でその目標に掲げられた、「文化の広い普及と正義・自由・平和のための人類の教育」という言葉は、第二次世界大戦に至る抗争を経て、文化が相対主義によって脱政治化されると同時に、文明概念が法的な意味での世界市民主義として定義されるという二重の形式化を端的に示すものであった。文明や文化といった言葉で表現される人間の価値意識は、中世から近代にかけて宗教が脱政治化されたように、政治の背景へと埋め込まれたのである。

文明と文化の新たなゆらぎ

こうして第二次世界大戦後には文化や文明は社会科学や政治において敬遠される言葉となった。特にドイツ流の文化・文明論は異端視されるようになった。たとえばE・H・カーが「シュペングラーの方は、飲むと直ぐ頭へ着て、フラフラにさせ、やがて、グッタリさせる酒のようなものですが、その後で、これにソーダ水を割った、ヒヤリとした、泡立ちのよいトインビーという酒をグッと飲むと、気分が変わって、ホッとするというものです」(10)と皮肉ったように、文明の歴史哲学を非科学的な大風呂敷と見なす評価が一般的となったのである。

文明という言葉そのものも、枢軸国の「蛮行」との対比において、ニュルンベルク裁判や極東軍事裁判、あるいは一九四八年に国連総会で採択された「集団殺害罪の防止及び処罰に関する条約」（いわゆるジェノサイド条約）で用いられたのを最後に、国際法や国際政治では避けられるようになっていった。たとえば常設国際司法裁判所は第二次世界大戦後に国際司法裁判所に改組されたが、その規程は常設国際司法裁判所の規程をほとんど引き継ぎ、「文明」の言葉も残されている。しかしそれは過去の遺物として扱われ、判事はもっぱら地理的な配分を考慮して任命されるという形で運用されるようになった。一九四八年の国連総会で世界人権宣言が採択されたが、この時にも宣言が「すべての人民とすべての国とが達成すべき共通の基準」であると謳われたものの、文明という言葉は用いられなかった。

しかし一九五〇年代の後半になると、再び文明や文化といった概念が語られるようになってきた。その根底には、「仮想の地球社会」化が作用している。それは政治から切り離され、脱政治化されていた文明や文化といった領域と政治の領域との境界を再び曖昧にし、新たな形で文明や文化を政治の領域に呼び戻したのである。

たとえば、五〇年代中頃に東西冷戦が対立をはらみながらも安定した秩序と見なされるようになると、新しい技術発展に支えられたヒト、モノ、情報の交流が活潑となった。海外旅行や消費財の流通、映像を通じた情報が増えたことで、人々はこれまで文字でしか知りようのなかった異文化の映像や音楽、料理などを体験し、直接に人としての接触の機会も増えたのである。このことによって、文明や文化に対する新たな関心が呼び覚まされた。

一九五〇年代にはすでに、トインビーの文明論的歴史観が批判を受けつつも見直されるようになっていた。たとえばアメリカの文化人類学者アルフレッド・クローバーはベネディクトなどの文化相対主義に一定の評価を与えつつも、より大きな単位としての文明の存在を肯定し、静態的な「型」よりもダイナミックな文明の変容に興味を示した。日本でも、梅棹忠夫の「文明の生態史観」（一九五七年）が出て大きな関心を呼んだように、文明論への関心が高まった。(11)ドイツや日本に対する軍事裁判から二〇年を経ないうちに、二十世紀を代表する歴史家の一人、フェルナン・ブローデルが「これこれの忌まわしい犯罪は人類にたいする犯罪だということはよくあっても、文明に対する犯罪だとはあまりいわない」と書いているように、文明を文化的、歴史的概念として理解する見方が急速に復活した。(12)

それでもまだ「文明」は歴史的概念として再生してきたにとどまっていたが、ほぼ同じ時期に文化はより直接に政治に復活してきた。文化の社会統合機能を重視する従来の文化人類学を批判し、文化の差異性やアイデンティティとしての内面性を強調する考え方、たとえばレヴィ＝ストロースなどの構造主義や、クリフォード・ギアツなどの解釈人類学が登場した。現実政治においても、たとえばアメリカ社会は「人種のるつぼ」ではなく、文化を異にする諸民族からなる「サラダ・ボウル」であるという言い方がなされるようになったことが示すように、文化的多様性が意識されるようになった。こうした変化を示しているのが、この頃から用いられるようになった「エスニシティ（ethnicity）」という言葉である。この概念は固定的な「ネーション」とは異なるレベルで、より感情や感覚に訴える文化的アイデンティティによって特徴づけられる集団に着目し、文化の交流と変容、接触と摩擦を重視する新しい文化観を反映するものであった。

他方で、「仮想の地球社会」化は、進歩主義的な文明意識をもよみがえらせた。それは、人権や法的正義といった普遍的価値の実現を新たな「文明標準」とし、非人道的な野蛮と対置する文明観である。電気的メディアによる普遍的価値の設定は、東西の政治経済的イデオロギー対立に埋め込まれていた進歩主義的価値意識を復活させたのである。

こうして「仮想の地球社会」化は、進歩主義的文明観を政治経済的イデオロギーへと転化した国家と、文化相対主義を埋め込んだ国民からなる第二次世界大戦以後の国民国家の安定を揺るがし、文明や文化といった価値の問題を再び国際政治によみがえらせた。普遍的価値意識と多様化する文化意識とは、これまでの国際政治を根本的に変えるのだろうか。

2 慎重な普遍主義

民主主義の拡張

現代において、その実現方法や優先順位について論争はあるにしても、人権の道徳的、倫理的正当性そのものを疑う声は事実上存在しない。その意味ですでに人権の普遍的倫理性は確立されている。しかしそのことはかえって、普遍的倫理の実現を図る手段について、我々に政治的熟慮を求めるものではないだろうか。「地には平和を」求める精神が、「喜び勇んで、徹底的に悪を行う」ことこそ、最も恐るべき事態だからである。

普遍的倫理が人々の間に広まって、やがて世界平和が訪れる。そういった構想を最初に明確に提示したのはドイツの哲学者イマニュエル・カントであった。彼が十八世紀末に著した『永遠平和のために』は、啓蒙思想の平和論の代表として今日でもしばしば参照される。[13]ところが今日、普遍的倫理への確信の強さは、カントの主張をその全体において理解しようとせず、その一部を拡大して強調する傾向を生んでいる。

カントはこの小著の中で、平和が永続的なものとなるための条件を掲げている。その条件の中でも重要なのは次の三つ（カントは確定条項と呼んでいる）である。第一に、「各国家における市民的体制は、共和的でなければならない」こと、第二に、「国際法は、自由な諸国家の連合制度に基礎を置くべき」こと、第三に、「世界市民法は、普遍的な友好をもたらす諸条件に制限されなければならない」ことである。重要なのは、カントがこれらの条件を一つの順序として考えていることであり、結果として、世界市民法については、不可欠だが補足的な位置づけしか与えていない、ということなのである。カントにとって普遍的倫理は、国内において自由な体制としての共和制が築かれることから出発している。その次の段階として、共和制の国家同士の間に、強固な公法としての国際法が結ばれうるし、さらには一つの国家的連合にも至りうる。そしてこれらの条件が満たされていく過程で、世界市民法（この著作では、世界を訪問する権利に限定されている）は人々に一定の権利を与えるが、それはあくまで他国民との友誼《ゆうぎ》を強める範囲に制限されるべきだとされているのである。要するにカントの議論は、国内体制の自由化、民主化から始まって、国家間関係、世界へと広まる構想であり、特に異文化社会を安易に野蛮視したり、現地の状況を無視して自らの意志を押しつけることを戒めているのである。

ところが二十世紀になると、政治体制の相違を戦争の原因として掲げ、戦争や対外政策の目標に「民主化」が掲げられるようになった。そのきっかけとなったのは、アメリカのウィルソン大統領であった。一九一七年四月二日、ウィルソンが第一次世界大戦への参戦を求めて行った議会演説は次のようなものであった。

我々は、ドイツの人民と争っているのではない。我々は、彼らに同情と友情以外の気持ちは持っていない。彼らの政府が戦争に突入したのは、ドイツの人民が衝動に駆られたからではない。……自治的な諸国民は、隣国に数多くのスパイを送り込んだり、攻撃を仕掛けて征服するきっかけとなるような重大な情勢を引き起こすために陰謀をめぐらせたりはしない。……我々は、我々が常に心の中に深く抱いているもの、すなわち、民主主義のために戦うのである。我々は、権力者に従属している人々が自国の統治に対して発言権を持てるように、小国の権利と自由のために戦わなければならない。そして自由な人々が協力して平和と安全をすべての国々にもたらし、世界を最終的には自由なものとすることを通じて正義を支配することのために、戦わなければならない(14)。

このウィルソンの演説の思想は、その後のアメリカ大統領に引き継がれた。一九四一年の大西洋憲章にも、一九四七年のトルーマン・ドクトリンにも、ソ連を悪の帝国と呼んだレーガン大統領にも、湾岸戦争を率いたブッシュ大統領の「世界新秩序」の思想にも通底しているものである。その意味で、民主主義の国際的拡散は二十世紀のアメリカの対外政策の目標として一貫して主張されてきた。

たしかに二十世紀を通じて、民主制を採用する国の比率は増大してきた(図7)。今日、

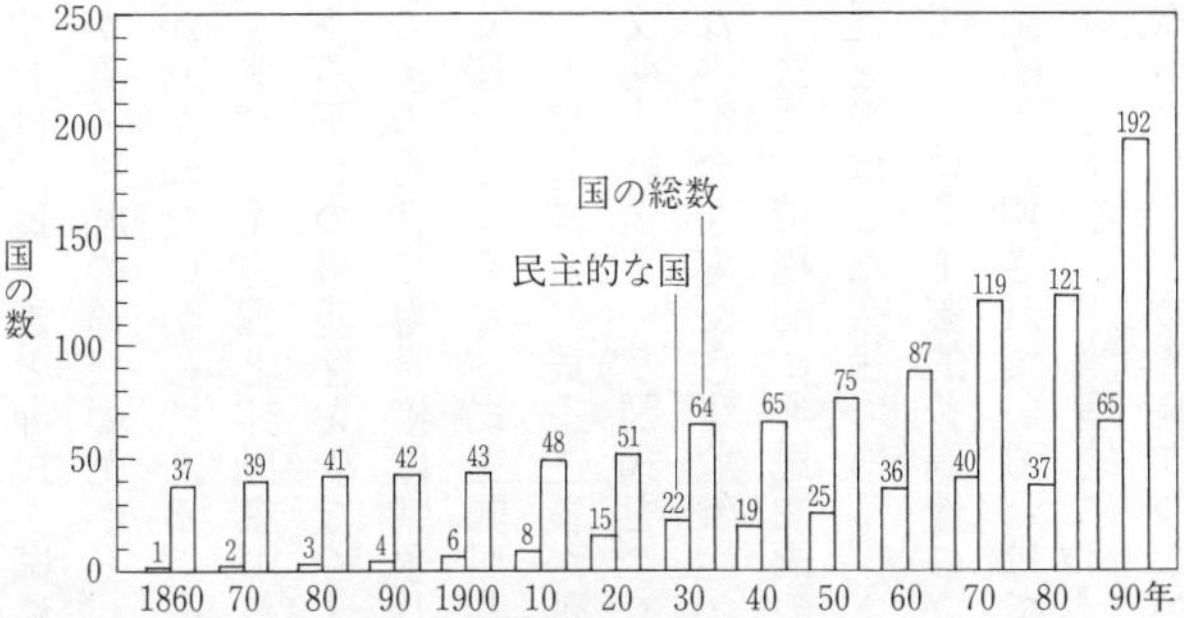

(出所) R・A・ダール『デモクラシーとは何か』より

図7　民主制を採用する国(1860〜1990)

民主制に正面から挑戦する体制やイデオロギーは存在しない。また、民主制を採用する諸国、特に先進諸国の間で戦争が行われることは現実の問題としては考えられない。このことは、文明的進歩が民主制を普及させ、また民主制が広まれば平和が広まるというカントの構想を実現しつつあるように見える。実際、冷戦終焉後のアメリカでさかんに研究されているように、近代以降、民主主義国同士が戦争をしたことがないという経験的事実から、民主制を世界に拡散することが世界をいっそう平和にする、という「民主的平和」論も主張されるようになった。「民主的平和」論が正しいかどうかについては今日でも論争が続いている。しかし私は、こうした仮説は経験則としておおむね首肯できる、という程度にとどめておくのが妥当であり、厳密な定理として証明しようとすることは意味がないばかりか危険も存在すると考える。なぜなら、この仮説の意味するところを実践に応用しようとすれば、民主国と非民主国に抜き差しならない境界線を引いたり、民主主義を拡張することが真の平和の道なのだから、危険を覚悟してでも非民主国を民主化しようという主張につながりかねないからである。

まず、民主国と非民主国に決定的な区別を設けることは、両者の間に不十分であれ存在しうる平和の可能性を少なくする。たとえば第二次世界大戦中に米英とソ連が同盟を組み、その後の冷戦でも直接に戦争しなかったことや、アメリカが冷戦中に非民主国を友好国として支援したように、民主国が非民主国と協力したり、少なくとも平和を保ったりすることはしばしば起きる。民主主義か否かということで諸国を色分けしてしまうことは、十九世紀的な文明―野蛮という図式をつくりだすものであって、国際関係の緊密化にともない、さまざまな不都合をもたらす危険性が大きい。

次に、積極的に非民主国の民主化を進めることが真の平和への道だという議論は多くの前提を飛ばした議論である。まず、非民主国が本当に民主化できるのかどうかという点については、啓蒙主義的普遍性の立場から、「できるはずだ」という前提に立っているだけで、実証的に証明されているわけではない。仮定の問題として、民主的政治体制をとれない民族がいたとすると、論理的には、この民族は永遠に警戒され続けるか、国際社会から切り離されるべきだ、との議論につながりかねないし、それは明らかに人道に反する。

また、民主制の本質についても、非民主国を民主化する手段についても明確な考えを含んでいない。近代民主制の本質は、表現の自由なのだろうか、政治参加の権利なのだろうか、結社の自由なのだろうか、国民の生存権の確保なのだろうか。また、民主化するには非民主的な権力者を排除することが必要なのだろうか、それとも権力者に改心させることで足りるのだろうか、それとも非民主国がしばしば言うように、物質的経済的豊かさが必要なのだろうか。第一とすれば政権の転覆が、第二とすればさまざまな圧力が、第三とすれば経済的支援が民主化への早道となる。しかしその目標も手段も曖昧なまま、民主化というシンボルだけが一人歩きすることは政治的実践においては危ういものとなる。

のみならず、「民主的平和」論は、民主主義が外交においてもつある種の弱点を強化してしまう傾向をもつ。その弱点とは、民主制が一般的には平和愛好的であっても、特定の理由からは好戦的となりうるということである。第一に、豊かで自由な国家は外部からの、特により貧しく、専制的な社会からの脅威に恐怖を抱く。たとえばアダム・スミスもこの感情を驚くほど率直に表明し、自由な国家が常備軍をもつべきことの基本的な理由に挙げている。このような恐れは豊かで開放的な社会の本能とでも言うべきものだが、非民主制が危険なものというイメージはこうした本能の作用を強めてしまう。

第二に、民主制は自らを善玉と捉える道徳的自己義認の傾向をもっている。民主制が善玉

―悪玉観のような単純化の危険をもつことを認識していたことが、カントがわざわざ共和制と民主制を区別し、前者を望ましい体制としたことの一つの理由であると考えられる。カントは、世論が外交に反映されることで主権者が気まぐれな戦争を行いにくくなることを指摘したが、他方で、国民自身が主権者となる民主制は、制約要因をもたず、いったん世論が過熱すると見境がなくなる点を指摘し、国家の意志決定者と実行者とが分離されている共和制が最善であるとしたのである。代表制をとり、また多元的な社会の基盤をもつ今日の自由民主主義体制はカントの共和制に近いものと見なすことはできるが、それでも自己の正当性を強く信じる時、民主制は好戦的なものになりうることは認識されるべきである。

このような指摘は、民主制がもつさまざまな美徳を否定するものでは決してないし、また、非民主的な体制の民主制への変化を促す行為を完全に否定するものでもない。民主制が本来的には平和愛好的であることは認められるし、何よりも民主制は個人の自由を基調とする近代社会の条件に最も適合的な政治体制である。そうした体制の数が増えていくことが国際平和を増進する傾向そのものはたしかに存在するし、そのことを指摘するのがカントの趣旨であった。しかしその際、定義をあまり厳格にせず、緩やかに捉えることがカントの主張にかなうものであろう。実際、あらゆる政治体制は法的制度とその制度を支える人々の精神の組み合わせからなる。民主制についても、制度的、形式的な条件を挙げることでは不十分であり、その社会の支配的な精神と適合的な制度となっているかどうかが重要なのである。政治体制について透徹した観察を行った『法の精神』の著者モンテスキューや『アメリカの民主主義』の著者トクヴィルが、人々の精神や心理的習慣に着目したのも、制度と精神の関係に着目したからであった。

この点を見落とすと、民主制の理想と現実を混同してしまうことになる。実際、理想は時代によって変化するので、過去に民主制といわれていた体制が、今日ではとてもそうとは言えないことがある。たとえば今日では成人による普通選挙は民主主義の最低限の基準であると思われているが、婦人参政権は一八九三年に初めてニュージーランドで認められ、ほとんどの国では二十世紀のかなり後まで実現されていなかった。あるいは、自発的な事前登録によってのみ投票を認めるアメリカの連邦選挙の制度にしても、投票を義務づけているオーストラリアの制度にしても、見ようによっては完全に民主的な制度ではない。「民主主義は、歴史上試されてきた他のすべての政治体制を除けば、最低の政治体制である」というチャーチルの有名な警句のように、民主制は基本的にはよいものだが完璧ではないという考え方が妥当だろう。

そのように現実の民主制について幅をもった見方をとることは、民主国が民主的でない国の民主化を促す際にも、さまざまな選択肢を与え、政治的知恵を働かせる余地を与える。民主化を求める土着の勢力が十分に強くなり、比較的小さな助けで民主制への移行が望める場合には、介入が正当化される場合もありうるだろう。しかしそうした手段はあくまで例外的という位置づけを与えられるべきである。なぜなら外部からの圧力による変革は、表面的な変化に終わってしまう危険性が大いにあるからである。外部からの変革は抽象的で、その社会に根ざしたものになりにくい。先に挙げた婦人参政権の例などでも、基本的にはそれぞれの社会の中の価値観の変化に合わせて、自律的に変革が行われた時に変化は実効的なものとなった。特に今日、民主化の対象になりえるのは発展途上国がほとんどだが、民主的体制を担う政治勢力や経済基盤を欠いている場合も少なくなく、また、外部から介入する勢力がその社会の実情に深い知識をもつことも難しい。さらに外からの強制という経験は、その社会に精神的な傷を残すものだし、民主制という民衆の自律性を重んじる体制の場合、その傷はより深いものになりえる。

より妥当なのは、経済、社会、文化の交流によって個人主義の精神が浸透していくことや、民主主義制度が実際に機能し、いろいろな面ですぐれていることを示し続けるという「灯台」効果だろう。さらに、非民主的な国家について客観的な情報を国際的に公表し、その不適切さを指摘すること、自由を求めて迫害を受けた人々の政治的亡命を許したりするような間接的な圧力もおおむね妥当であろう。そして「仮想の地球社会」を可能にした情報通信技術は、こうした面で民主化に効果をもつものと言える。

このように、民主制の理想を掲げて自らの社会の改善に努め、民主的でない社会については緩やかに捉え、その不足を糾弾するよりも漸進的変化を促すことこそが、普遍的倫理を地球的規模で実行に移し、定着させる早道なのではないだろうか。少なくともこうした捉え方が、カントの意図するものではなかっただろうか。同じようなことは、普遍的人権の法的保障といったことにも言えるのである。

普遍的人権の法的保障

人権の普遍性という観念は、すでに啓蒙主義の時代に人権思想が体系化された時に含意されていた。しかしすでに見たように、国際的な宣言、条約によって普遍的な人権の観念が実定法によって確認されるようになってきたのは第二次世界大戦後である。国際連合憲章や世界人権宣言もすでに人権の尊重を謳っていたが、それは一般的、宣言的な内容にとどまっていた。しかし一九六六年には、長い討論を経て、「経済的、社会的及び文化的権利に関する国際規約（A規約）」と「市民的及び政治的権利に関する国際規約（B規約）」の二つの国際人権規約が国際連合の総会で全会一致で採択された。そしてこれら二つの条約が発効した一九七六年頃から、人権が国際政治上の問題として取り上げられるようになってきた。顕著な例としてアメリカのカーター政権が「人権外交」を掲げたし、一九七五年のいわゆるヘルシンキ宣言の中では「人道上及びその他の協力」が規定され、その第七原則において「人権及び基本的自由の分野において、参加国は国連憲章の目的及び諸原則並びに世界人権宣言にしたがって行動する」とし、「人々の接触」を拡大することや「情報の配布、入手及び交換の改善」のために行動をとることが求められたのである。この宣言は合意された時には法的拘束力をもたないとされていたが、その後の冷戦終焉の過程でこうした人権に関する合意が意味をもったことは否定できない。

そして二十世紀の末には、人権問題について国際的な法的保障の対象にするためのさまざまな実行がなされるようになってきた。第一に、人権の保障に関して、国家以外の主体が果たす役割が大きくなってきた。人権の侵害に対して、個人が救済や事実確認を申し立てることが国際人権B規約の選択議定書を批准した国の国民に認められたし、一九七〇年の国連社会経済理事会決議一五〇三によって、国連人権委員会に対して個人(NGOなども含む)が、大規模で継続的な人権侵害に関する通報を行うことが認められた。そして一九六一年に設立されたアムネスティ・インターナショナルをはじめ、国際的な人権保障を目指すNGOが一定の影響力を行使するようになった。

このような人権の国際的保障の急進的な例として、個人を対象として国際的な犯罪行為を処罰する普遍的司法管轄権（universal jurisdiction）の主張が挙げられる。こうした考え方は二十世紀を通じて少しずつ実行に移されてきたものであった。第一次世界大戦後のヴェルサイユ条約において戦争開始責任者個人の訴追が規定され（現実にはドイツ国王はオランダに亡命し、この規定は実行されなかった）、第二次世界大戦後のニュルンベルク裁判と極東軍事裁判において戦争指導者を裁いた。また、特定の主権にかかわらない地域で行われた凶悪な犯罪――伝統的には海賊が有名であり、一九七〇年代にはハイジャック犯にも準用されるようになった――に対しては、その犯人を「人類の敵（hostes humani generis）」として扱い、世界のいずれの国の裁判所も管轄権を有するとされた。さらに一九六〇年、イスラエルはナチのユダヤ人虐殺に関与したアイヒマンをアルゼンチンで探し出し、エルサレムに移送して裁判にかけて処刑した。さらに最近では国連安保理が旧ユーゴでの戦争犯罪国際法廷やルワンダでの虐殺に関して国際法廷を設置した。一九九八年には、国際刑事裁判所規程が合意され、ジェノサイド、人道に対する罪、戦争犯罪、侵略の罪について個人を裁きうる制度的な道が開かれた。

このように、人権や人道に対して多くの行動がとられるようになった背景を理解することは難しくない。すでに見たように、今日の発展途上国や体制移行国では内戦や民族紛争の火種が少なくない。そしてこうした戦闘、虐殺、市民生活の崩壊状況は映像メディアを通じて先進国の人々の情感に訴える。こうした映像は先進国の住民自らの平穏な生活に罪悪感を覚えさせ、「何かなされるべきだ」という感情を呼び覚ます。そうした感情が普遍的な人権の保障を追求し、人権侵害を停止させるべく先進世界が行動すべきだという主張に結びつくのである。

しかし、人間の自然な感情に基づく正義感の高まりと、法的に人権が保障され、その侵害が罰せられることとは異なっている。その間は政治的、実践的思考によって埋められねばならないのである。

人権についての議論が混乱を招くのは、人権を道義の表明として扱うのか、法的権利として扱うのかが明確でない点にある。道義としてであれば、今日その普遍的価値を唱道することに異を唱える立場は一般に支持されないであろう。人権の国際的保障という場合、今日多くの民主主義国でそうであるように人権を法的権利として扱うことを意図している。しかし本来、法的権利を保障するためには、その執行の手続きを定め、正当と認められる形で権力が行使されることを前提としている。そのために民主主義国では抽象的な人権を立法過程を経てその国家において法的に実行可能な内容に変え、政府は具体的な内容を実行するべく時に権力を振るい、国民は実現されるべき人権の具体的な内容に応じて、納税その他一定の義務を引き受ける。つまり、抽象的権利の具体化、正当な政府による執行、そのために必要な義務の引き受け、という関係が成り立って初めて、人権は法的意義をもつのである。

そして人権の多くは互いの調整を必要としたり、国家が一定の行為を行ったりして初めて意味をもつ。たとえば信教の自由を保護するといっても、国家は宗教活動に関与すべきでないのか、それとも一定の保護を与えるべきなのかは、社会の実情に応じて違うのが実際であるし、生存権規定などは国家が保障すべき水準を定め、その実現のための行為を行わなければ法的権利としての意味をもたない。あるいは刑罰に死刑を認めるか否かは、現在のところ先進国の間でも大きく異なっている。ある意味では、人権という抽象的道義を具体化し、その実行をめぐる議論を行い、適正な権利と義務のバランスについてコンセンサスを形成することこそが今日の政治の基本的役割でもあるのである。

ところが人権の国際的保障という場合、こうした関係は成り立たない。国際社会は、人権を具体化する立法府、行政府をもたないからである。人権の理想が否定しがたいため国際会議の場では、その実行可能性を考えず、抽象的でより高い理想を表明した項目が書き連ねられることになる。しかしそれが道義的宣言でなく、法的条約として扱われれば扱われるほど、その実行をめぐる議論は大きな対立を招き、その時々の国際社会の雰囲気や政治的配慮による、恣意的な性質をもつことになる。

こうした恣意性は、今日の人類に認められうる道義としての人権の普遍性を傷つける危険性をもつ。たとえば一九九三年の世界人権会議でいくつかのアジア諸国が「アジア的人権」といった考え方を主張したことは、こうした危険性を示すものである。多くの論者が反論したように、「アジア的人権」といった考え方そのものは疑わしい。「アジア」が一体であるとは考えられないし、アジアにせよ、より小さな民族共同体にせよ、社会の価値観は固定的ではなく、変化しうるものだからである。そもそも地域や人種、性といった要素によって差を設けることは、人権思想と矛盾しているとすら言えよう。しかしこうした議論が出てくる背景には、道義的理想を法的権利の問題として扱うことがもたらす権力的側面への反撥がある。人権の理念そのものは普遍的であるにしても、その実際のところは個別の国家等に委ねられねばならないので、安易に外部から人権の実行状況について圧力をかけることが恒常化すれば、人権は道義的輝かしさを喪失し、権力手段の一部となってしまう。

普遍的司法管轄権という考え方の問題もここにあるだろう。恐るべき集団的殺戮の実行者だけでなく、その決定を下した人間を法の裁きにかけることについて道徳的に反対をすることはできない。そして国家指導者がそのような犯罪的行為を命令した場合、それを裁く方法がないために、指導者を野放しにしておくことは道徳的に許されることではない。しかしそうした人物を国際社会が法の名において逮捕し、処罰することには多くの問題がともなう。まず実際的な問題がある。逮捕、証拠調査、法定手続き、準拠法などのさまざまな法的手続きが問題となる。近代法では特に刑法犯罪についてこれらの要件を厳密に規定している。それは、これらの手続きによって個人の人権の保護と社会秩序の間にバランスをとっているからである。しかし国際的な刑事訴追の場合の手続きは、国際的な合議によるか、特定国の法制度によらざるをえない。前者の場合には、さまざまな面で立場の違いが反映され（たとえ関係者が個人の立場であっても、ほとんどの場合自らの属する社会の価値観を反映するものである）、結局、つぎはぎの一貫性のない手続きが合意されるか、発言権の強い国の手続きが採用されることになる。しかし前者は法的正義を実現するのに不十分であろうし、特定国の手続きはいかによくできたものであっても、その社会になじみのない人間にとっては不利に作用し、本来意図された人権保護と法的正義のバランスが崩される危険性が高い。

そしてこの問題は単なる実際問題ではなく、より本質的な問題を含んでいる。司法とは、あらゆる公的行為の中で最も権力的な行為である。それは権力の名において人間の自由を奪い、時に命すら奪う。そうしたことが行われるのは、人々が自らを支配する司法権力に対して、明示的ないし黙示的に服従の同意を与えているからであり、その限りにおいて司法は正義の実現という道徳的正当性をもつ。しかし国際的な司法裁判所はこうした権威を欠いている。それゆえ、実際に国際刑事手続きが行われる場合には、権力の契機が前面に出てこざるをえない。極東軍事裁判を「勝者の裁き」として批判する主張を完全に否定できないことが、日本での戦争責任についての議論をどれほど歪めていることか。責任の自覚は本来、客観的事実が明らかとなり、個人が内面において感じるべきものであるのに、拙速な裁判と断罪は、内面的自覚を阻害する結果をもたらした。裁判がその社会の正義の感覚に基づいているのではなく権力によってなされると感じられる時、裁判そのものが道徳的感覚を混乱させる危険性をもつのである。

もちろん、政治指導者がジェノサイドや「民族浄化」を命じる危険が存在することは否定できない。そうした危険を抑止し、その命令者を処罰する手続きがないことは、主権国家体制の欠陥と言うことができよう。しかしそうだからといって、普遍的な司法管轄権を安易に強化することは極端な試みであり、欠陥はあってもそれなりに機能している主権国家体制の基本的前提を崩すことになる。

そこで考えられるのは「慎重な普遍主義」と呼びうる態度であろう。今日の「仮想の地球社会」によってもたらされる世界市民的感情を背景としながら、実際にはきわめて例外的な手段として国際司法手続きを用い、国際社会の中で共通の正義の感覚が醸成されるのを期待するというアプローチである。こうした態度は世界市民法の意義を認めつつも、補足的、制限的な位置づけしか与えなかったカントの洞察に通じるものである。国際的な刑事裁判を多用することは単純ですっきりする解決策に見えても、実際には混乱と法への信頼の低下を招く。もちろん時には国際的な法的手続きしか道徳的正義感を満足させる手段がない場合もあるだろう。しかし、あくまでそうした措置を限定し、国内体制を充実させ、各国内での国際的な価値の共有範囲を広げることが先行すべきなのである。同じことは、いわゆる人道的介入論にもあてはまる。

人道的介入の問題

近年、国内で重大な人権侵害、非人道的行為が行われている国家に対して、国際社会は強制的にでも介入し、そうした状況を変えることが許され、また義務ですらあるという「人道的介入」の議論がなされるようになってきた。「人道的介入」の議論そのものは十九世紀に生まれたが、二十世紀に入るとあまり顧みられなくなった。それが再び注目を集めるようになったのは一九七〇年代頃からである。一九七一年、インドはパキスタン政府による東パキスタン弾圧に対して武力介入を行ったし、一九七九年、ベトナムはポル・ポト政権の残虐さを非難して、カンボジアに介入した。さらに一九九〇年代になって、人道を理由にした介入がさかんに行われるようになった。ソマリア、ハイチ、リベリア、ルワンダ、ボスニア、コソヴォなどに、国連や特定の国家ないしNATOのような国際組織が人道を理由に掲げて兵力を派遣した。

人道的介入の問題が議論を呼ぶのは、それが内政不干渉という主権国家体制の基本原則と、普遍的な倫理の要請の間の原理的な対立をもたらしかねないからである。主権国家体制は、各国の内部問題はそれぞれの政府が基本的に責任を負うという原則に基づいて運営されている。この原則を表現したのが内政不干渉の原則であり、これが安易に犯されることは国際連合憲章などの国際法上の違反というにとどまらず、主権国家体制の原理そのものを危うくする。しかし今日、近代技術によって国家が一般人に対してもちうる抑圧的能力はきわめて大きなものになり、組織的な暴力はしばしば一般市民を巻き込んだ内戦の形をとって現れる。そのような場合に一般人が圧政をはねかえし、内戦が民間に被害が及ばない範囲で収束することは難しい。そうした場合、外部からの強制力による以外に大規模な人道的被害を止める手段がないことも考えられるのである。こうして人道的介入は主権国家体制の倫理と普遍的倫理の要請の矛盾を端的に示している。たとえば言葉の問題としても、人道的介入と呼ぶか人道的干渉と呼ぶかで立場が異なってくるほど、この問題は原理的に難しい要素をもっている。

こうした原理的矛盾の存在を否定することはできない。しかしそのことによって思考を停止させたり、主権国家体制と普遍的倫理のいずれか一方の原理を捨て去ったりすべきではない。両者の立場を理解し、二つの立場の間で個々のケースごとに最適の選択をしていかざるをえないのである。

まず、近代主権国家の最低限の正当性はその被治者の身体生命を保護することにあることが想起されねばならない。その意味で、近代国家としての最低限の機能を明らかに果たしていない国家に対しては、内政不干渉の原則をそのまま適用することはできない。実際、グロティウスやヴァッテルといったすぐれた国際法学者は、国内体制の議論を無視した絶対的主権といった考え方をとっていない。加えて今日では、世界人権宣言や国際人権規約の存在によって、大規模な人権侵害を行うか、黙認している国家は少なくとも道徳的な義務違反を行っているという主張の正当性は、より強いものとなっている。それゆえ、内政不干渉の原則もいっそう絶対的なものではなくなっているのである。

しかし積極的に人道的介入を肯定することはそれ自身危険をともなっている。第一に、国際機構にであれ、一般の国家にであれ、人道的介入の権利を一般的に認めることは国際的な武力行使の機会を増やすことになろう。国際連合憲章は自衛の場合を除いて国家による武力の行使を違法と定めているが、安全保障理事会が「平和に対する脅威」が存在すると認定すれば、法的には武力行使を正当化することができる。しかしそれは国際的な警察権力を樹立することに近く、人道的介入権を掲げて行動するならば武力行使の機会は現在よりもはるかに増えるだろう。我々はともすれば忘れてしまうけれども、国内社会では常に警察が活動しているのであり、恒常的に武力が用いられている。それが圧政と感じられないのは、国内社会においては、統治者の権威が一応正当のものと認められ、警察による武力の行使が法秩序を守るための権威に基づく行動として受け入れられているからなのである。この警察の常時の行動に比べれば、主権国家間で戦争として行われる武力行使は激しいが、その頻度ははるかに低い。しかし人道的介入が制度化されれば、国際的な介入勢力はあたかも警察と同じように行動することになる。そしてそこで用いられる武力は大戦争には至らなくとも、国内社会における警察権よりははるかに激しいものとなるだろう。

他方、一定以上の武力が必要とされる場合、人道的介入を行う主体は実質的には国際機構ではなく、介入のための力と意志をもつ国家となる可能性が高い。こうした場合には、第二の問題として介入の決定の恣意性の問題から免れることはできない。国家は自国民に第一の責任を負う以上、国益の観点を離れて自国軍を危険にさらすことはできないからである。したがって人道的介入は、純粋な介入の正当性の有無ではなく、介入する意欲と能力をもつ国家の存在によって左右されることになる。

さらに、人道的介入を一般的に正当化することはより根本的な問題をはらんでいる。人道的介入は映像に映し出される悲惨な事態に対し、最も明確に「何かをしている」という感覚を生み出しはするだろう。しかし「理屈は抜きにして虐殺を止めるべきだ」という主張はもっともらしくとも、無責任かせいぜい部分的な解決しか意味していない。大規模な人権侵害が起きるところには、何らかの背景、原因があるのが通常であり、そこまで踏み込まなくては問題の真の解決にならないからである。

そして真の解決は、あくまで当事者によってなされねばならない。そもそも主権の原理は、人権を実現するのはあくまで自らの責任であることの自覚を要求するものなのである。今日、主権は国際的な人権保障の障害と見られることが少なくないが、自らが統治される政治体を自由に決定することは人権の最も重要な要素である。実際、二つの国際人権規約は共に第一条で、「すべての人民は、自決の権利を有する。この権利に基づき、すべての人民は、その政治的地位を自由に決定し並びにその経済的、社会的及び文化的発展を自由に追求する」と規定している。人道的介入の一般的制度化は、国家以外の権威、たとえば世界的メディアや介入の力と意志をもつ大国や国際機構の権威を国家の上位に置くことを意味する。が、それらは基本的人権の確固たる保障者となるにはあまりに気まぐれで不安定である。

したがって、人道的介入についても「慎重な普遍主義」が基本的な姿勢であるべきであろう。今日、各国の人権保障状況を相互に、また国際機構やNGOが監視し、人権侵害に対して普段から注意を高めておくことは正しい。できるかぎり情報の交流の窓口を広げ、各国の国民が自らの状況を客観的に知る機会を増やすべきである。大規模な人権侵害状況がある時、介入の契機をまったく否定してしまうことは現実的でない。しかし介入に至る手続きにおいてできるだけ広汎《こうはん》な国際的支持を集めることが望ましいし、またその支持が容認する範囲で行動することが妥当である。こうした手続きをとることで、介入の程度は不十分にとどまるかもしれないが、過剰介入よりも一般に害は少ないであろう。たとえばヘルシンキ宣言に認められた「人道上及びその他の協力」が促したのは、東側の漸進的な変化であった。情報の流通によって東側の人々が自らの状態を知り、変革を求めたことが最終的に東側の体制変化の基本的な要因となったし、西側が東側の人権状況を常に監視し、非難したことも意味をもっていた。しかし東側の人権抑圧に対して単純に力に訴えることは賢明でなく、効果的でもなかったろう。

「仮想の地球社会」化は人々の視野を国家を超えて広げ、世界市民主義的価値の重要性を再確認させた。しかし人々は一つの地球社会を共有してはいないので、地球市民は生まれてはいない。市民とは、単に一般的な道徳感を共有するだけでなく、より深いレベルでの法的、社会的、精神的価値観を共有する存在だからである。道徳について言えば、古来から世界のほとんどの社会で最低限の道徳はそれほど異なっていなかった。嘘や盗みや殺人が許されないことはどこの社会でもほぼ共通である。しかしそれは最低限の道義であって、誰でもが食べられる栄養だけしかない宇宙食のようなものである。市民としての価値の共有とはより深いものである。たとえば、どのような行為が罪となり、どの程度の罰を受けるのかについて、ある種の共通感覚、つまり常識が共有されていなければならない。そのレベルでは、日本料理と西洋料理が違うように、現在でも人類は多様な価値観をもっている。そしてそのような深い価値の共有のある社会において初めて、人間は市民となるのである。この意味で人々は依然として地球市民ではない。そうした多様性を前にして、強制的民主化や普遍的司法権や人道的介入の範囲を広げることは一見国際的な倫理的統一を強めるように見えながら、実際には世界の価値観の相違を強めてしまう危険をはらんでいる。

つまり、普遍的倫理の実質化、内面化という「広い統合」の実現のためには、人類が全般的な価値観を共有する「深い融合」をともなっていなければならない。それでは「仮想の地球社会」は深い融合をもたらしえるだろうか。

3　豊饒な世界市民主義の可能性

仮想の地球社会とコミュニケーション

コミュニケーション技術の発達は社会をいっそう強く結びつけると一般に考えられてきた。たとえばコミュニケーション技術の発達と近代ナショナリズムの形成過程とを結びつけ、前者が同質的な国民を生み出す役割を果たしたという見解を支持する研究者は多い。政治学者カール・ドイチュは社会的コミュニケーションの増大が、統一された国語をはじめとする国民文化を生んだと指摘した。社会学者のアーネスト・ゲルナーや人類学者ベネディクト・アンダーソンも、近代的なコミュニケーション技術の発達が一体的な国民をつくりだす役割を果たしたと指摘している。

それでは、今日普及しつつある、国境を越えてグローバル化した現代のコミュニケーション技術は、かつて均質的な国民を生み出したのと同じように、地球社会を均質化し、さまざまな文化を融合して単一の地球文化を生み出すのだろうか。

現在のところ、そのような徴候は見えない。むしろ文化的多様化の傾向のほうが目立っている。実際、二十世紀の後半になって国家の数は急速に増大したし、自己主張を強める少数民族の数はいっそう多い。そしてアメリカの政治学者サミュエル・ハンチントンの論文「文明の衝突か?」(一九九三年)が話題を呼んだことが示しているように、人々は文化的、文明的対立を感じ、また恐れているのである。

かつてのコミュニケーション技術が国民統合的な機能をもったとするなら、グローバルな統合に向かっていないように見える今日のコミュニケーション技術とは何が異なっているのだろうか。

第一に、現代のグローバルなコミュニケーション技術と近代的なコミュニケーション技術との質的な相違を指摘できよう。この点でマクルーハンの指摘は示唆的である。彼は、活字印刷技術が国家主義、産業主義、マス市場、識字と教育の普及をもたらし、「伝統的な集団から個人を解放し、もう一方で、個人と個人を合わせて巨大な権力の集合体にするにはどうするか、そのモデルを提供する」と指摘した(15)。

マクルーハンは印刷メディアが中央集権的効果をもったことを論証した後、彼が電気的メディアと総称するもの（電信電話、ラジオ、映画、テレビなど）の性質とは大きく異なっていることを強調する。マクルーハンは一八四四年に実用化された電信の力を印刷メディアと対比して次のように指摘する。「文字文化的人間はすべて、もっとも進んだ意見が、画一的、平面的、同質的なパターンをもって、『もっとも後進的な地域』へ、そしてもっとも文字文化の低い人びとへ拡大していくことを心の中で熱望している。電信はこの希望をうちくだいた。電信のせいで中央集中的な新聞の世界は徹底的に解体され」、「地方新聞は、従来は郵便局を介しての郵便サービスと政治的統制に依存せざるをえなかったが、新しい電信サービスという手段を手にいれることによって、この『中心―周縁』型の独占からたちまち離れることになった。……電気革命のすべての分野にわたって、この脱集中化のパターンはさまざまな装いのもとに現れる」。「電気メディアは空間的次元を拡大するというよりも、むしろ無効にしてしまうのである。電気によって、われわれはいたる所で、ごく小さな村にでもいるような、人と人との一対一の関係を取り戻す。それは深層における関係であり、機能や権限の委任とは無縁な関係である。……お説拝聴に代わって対話が生まれる。最高の権威者も若者と親しくことばを交わす」。

つまりマクルーハンの指摘では現代の電気的メディアは、従来の印刷メディアが支えてきた中央集権的で抑圧的な国民国家を解体し、自由と平等をもたらす傾向をもつというのである。事実、マクルーハンはこの面を強調して「地球村（global village）」という有名な概念を提出した。しかし、マクルーハンの分析が鋭い指摘を含む一方で、現代メディアが「ごく小さな村にでもいるような、人と人との一対一の関係を取り戻す」ことにはならないことも今日では明らかとなってきた。現代のコミュニケーション技術はマクルーハンの言うように活字印刷の時代からより以前の口誦《こうしょう》文化の時代へと戻ったわけではなく、高度な科学技術に支えられている。それは文化人類学者の青木保の言葉を借りれば、極端に「速い情報」をやり取りするメディアであり、瞬間ごとの切り取られた情報を伝えはするが、深い人間関係を形成する濃密な「遅い情報」を伝えることはできないのである[16]。

伝統的な社会でのコミュニケーションは、相互の心の中に相手への共感を生み、そこに理解が成立する。活字によるコミュニケーションは共感の代わりに読み手の想像力を喚起する。

これに対して、電気的メディアによるコミュニケーションは共感を呼びさますには速くかつ細分化されすぎているし、あまりに我々の情緒の近くまで迫ってくるため、想像力の働く余地もない。マクルーハンの説くように、電気的メディアは「想像の共同体」としての国民意識や中央集権的な国家を弱体化するかもしれないが、それに代わって地球市民を生み出すわけではないのである。

文化的アイデンティティの擡頭

むしろ現代の電気的メディアによるコミュニケーション技術は、そもそも共感をもちうるような相対的に小さな集団内で自己確認を強める傾向をもつようである。仮想の地球社会を生み出すコミュニケーション技術は、同時に文化的な分散化、多様化、差異化を促しもするのである。先に触れたように、一九六〇年代頃から、政治的、社会的分析において「エスニック集団」とか「エスニシティ」という意識が強まってきたが、それは地球規模の電気的メディアの発達と無縁ではない。映像や音声の伝達能力の向上は、印刷物による理性的洞察とは異なる、より精神的、感覚的な帰属意識を強化する機会を広げているのである。

今日の社会は二つの要因によってエスニシティ意識を強めている。まず、消費社会においては差異こそが重要な資源なのであり、古い文化や少数文化は新たな差異の供給源として重要となった。六〇年代から世界的に伝統や過去に対する関心が高まった理由の一つは、ここにあるだろう。今日の資本主義はたえず文化的差異を吸収し、新たな差異を生み出した上で、同質化という渦に巻き込んで消費していく。

しかしこうした消費中心の資本主義がもたらす差異は、合理化され、等質化された上での差異であり、人々に目的や帰属意識を与えてはくれない。そこで人々の中には、金では買えず、合理性に解消されない人間の感覚や情操といった魂に訴える価値や客観的には非合理に見える価値にすら帰属感を求める心理が出てくる。社会学者デュルケームのいうアノミー(価値喪失)状況である。極端な場合には、閉鎖的、排外的な関係をもつことで自己の帰属を確かめることができるという感覚すら生まれてくる。今日、原理主義やカルトといった現象が目立つようになった背景にはこのような事情があるように思われる。そこまで極端でなくとも、論理ではなく情感の共有がエスニック集団の基本的な紐帯となる。こうしてグローバルな差異の合理化と、合理化がもたらす価値喪失に対する反撥の双方が、文化アイデンティティを強め、エスニシティ意識を強化する。

政治過程の変容も、エスニック集団の浮上を促した。一九六〇年代から次第に先進国社会は成熟し、政治の主要課題は次第に生産の拡大から再分配に移り、先進国の政治過程は多元主義化した。しかし、再分配をめぐる政治過程は厳しい対立を生む要素をもっていた。先進国の経済成長率が鈍化しはじめて全体のパイが増えにくくなり、多数の集団が多様な利害を表明するようになったからである。その際、エスニック集団は、強い凝集力をもち、自らに向けられた差別を糾弾し、権利としての自己主張を行った。

たとえば一九六〇年代のアメリカの公民権運動が示したように、明白にエスニック集団を対象とした差別の例は存在したから、黒人の主張には正当性があった。それまでは国民国家に統合されていくべき対象と見なされていた少数民族が、集団間政治の有力な主体へと変貌するようになった。そしてあるエスニック集団の自己主張は他のエスニック集団の意識を高め、政治過程がエスニック集団間の競合という様相を帯びることになったのである。

さらに、エスニシティ意識を強める国際的要因も指摘できる。一九六〇年代から新たな移民の波が生じて欧米先進国に異文化圏からの移民が増大し、特に都市に定着した新しいエスニック集団がもたらした刺戟が、それまで強く意識されていなかった自己意識を呼び覚ましたことも指摘できる。また、発展途上国における民族自決運動と、新興独立国内部でしばしば起きた民族紛争が、民族的ルーツを同じくする先進国のエスニック集団を刺戟したという面もあるだろう。

いずれにせよ文化的アイデンティティによってまとまったエスニック集団が浮上することで、国民国家の基盤とされていた文化的に一体的な国民という概念に対して疑問が抱かれるようになった。この変化に対して一部の諸国では、複数のエスニック集団の存在を前提として国民概念の再構築を図ろうという試みが見られる。カナダやオーストラリアにおいて提唱される多文化主義がその典型であり、アメリカ合衆国やヨーロッパでも、エスニック集団を社会的、経済的権利の請求主体として認める傾向が次第に強まってきた。しかし多数派と少数派、支配的だった民族と抑圧を受けた民族の間で平等感覚をもった協力を生み出すことは難しい。たとえば多文化主義を標榜してきたカナダでも、ケベックの独立運動は多文化主義を政治的に実現することの困難さを示している。

もちろんエスニック集団の混在が常に対立を生むと考えるのは早計である。異なる文化の間での相互理解、いわゆる異文化理解が進むことは可能だし、文化の接触が刺戟となって新しい文化が生み出されることもありうる。しかし、文化の相互理解や融合のためにはある程度の時間がかかる。今日のメディアが伝える「速い情報」は短期間に多くの情報をもたらすけれども、文化の深層を伝え、共感を生み出す能力を十分にもたないために、かえって偏見や単純なステレオタイプを増幅する危険性をもっているのである。異文化理解のためにはできるだけステレオタイプに陥る危険を避け、「遅い情報」を重視し、文化の深層にある象徴的次元の理解に至ろうとすることが重要となる。

文化理解から意味の共有へ

しかし今日の世界において、異文化理解のみによってエスニック集団間の関係を安定させることは難しい。まず異文化の深い理解には時間がかかるが、異文化の接触が突然に起きうる今日、それだけの余裕はもちにくい。のみならず、多数の異文化が一時に交じり合うような社会では、異文化理解はいっそう困難になる。現代では浅い理解にとどまっていても、異文化の共存が必要とされる時代なのである。

そこで重要になってくるのは、文化やアイデンティティに対する発想の転換ではないだろうか。文化をめぐる議論はともすると、文化が物質のように固定的性質をもっているという前提を無意識のうちに置いているように見える。この「文化実在説」とでも言うべき前提は正しいのだろうか。こうした問いを鋭く発したのは作家の坂口安吾である。彼は「日本文化私観」（一九四二年）の中で、桂離宮の美しさを「発見」し、日本人に伝えたブルーノ・タウトの日本文化論に対して鋭く反論した。日本人が外国人に教えられて自らの過去の文化遺産を有難がるようになるのは奇妙である。日本人は日本人であることで十分なのであって、自分にとってわけのわからない過去の建物や芸能を珍重するのは無意味だと。

タウトは日本を発見しなければならなかったが、我々は日本を発見するまでもなく、現に日本人なのだ。我々は古代文化を見失っているかもしれぬが、日本を見失うはずはない。日本精神とは何ぞや、そういうことを我々自身が論じる必要はないのである。説明づけられた精神から日本が生まれるはずもなく、また、日本精神というものが説明づけられるはずもない。(17)

この坂口一流の鋭い批判は、「文化」についての興味深い洞察を含んでいる。

すでに見たように、「文化」が貴重と見られるようになったのは十九世紀のヨーロッパ以降のことであった。そこでは、近代技術が人間と環境を絶え間なく変化させると同時に、伝統的な社会がもっていた世界認識が近代的な自己懐疑によって揺り動かされていた。特にドイツではもっぱら歴史や芸術に文化を求めたけれども、それは、急速に近代化するなかで揺さぶられている伝統的な世界観に代替しうるような、自己の存在意義を確認するアイデンティティの探求という性質をもっていたのである。タウトもまた、このような文化観をもち、日本にそれを求め、さまざまな過去の遺物に「文化」を発見したと考えることができる。

しかし、こうした探求の方向そのものが、近代人の妄執なのかもしれない。人間がまず自己に対する問いかけから世界を理解しようとするのは、ハンナ・アレントが「世界疎外」と表現した近代人の懐疑の表れなのではないだろうか。アレントによれば、世界の意味づけを知ることをあきらめた近代人は自己だけは確実な存在であると信じて、自分とは何かという問い、すなわちアイデンティティの探求を通じて確実な世界を取り戻そうとする。しかしそ

れは、結局はむなしい試みでしかない。自己の内側をいくら探っても、結局は確実なものは存在しないからである。(18)

我々がアイデンティティと考えるものは、本来は他者との関係性によって自覚されるのである。人間は親という他者と接して初めて自己を意識するし、異性を意識して初めて自分の性を意識するし、異文化と接して初めて自らの属する文化体系を意識する。アイデンティティは始めから実在する不変のものではなくて、世界の中に住む自分が他者と出会い、交わることで、新たに創造され、変化する。アイデンティティとは出発点ではなく、世界との交わりの終着点なのである。

言い換えれば、自己は世界を映しだすことによって初めて自己になるということである。この過程は言語というものを考えてみるとわかりやすい。言語なしに人間は自己探求を行えない。自己とは何かという問いすらも言語なしには発しえない。しかし何人も言語を最初から自己のものとはできない。言語は外から与えられる。しかしまた、外から受け取った言語を用いて思考し、表現することで、言語は自己創造の手段となる。アイデンティティや文化も同じであり、それは本当は他者と交わることで意識され、日々創造され、変化するものなのである。

伝統的な社会においては、言語は何よりも世界を映し、人間が世界を意味づける手段であった。伝統的社会には安定した世界観が存在し、その中で人々は意味づけられていたのである。しかし近代において世界を変革する能力をもった人間は、安定した世界観を失い、言語はもっぱら人間社会を制御する道具となったのである。近代においては、言語はもっぱら二つの役割をもつと捉えられている。第一はコミュニケーションの道具としての機能であり、第二は、隠語やスラングの生成を通じて集団の内部と外部との障壁を設ける機能である。

今日の「仮想の地球社会」の危険、あえて言えば最大の危険はここにあるのかもしれない。「仮想の地球社会」において、言語は単なるコミュニケーションのツールか、操作されるべき象徴の表現道具かになってしまった。これは文化一般についてもあてはまり、文化は消費される差異としてか、象徴の受容によって外部に障壁を設ける手段になってしまった。近代人にとって文化とは世界観の代用品であり、自己制御の手段である。しかし近代人が抱える真の問題は「世界疎外」、意味喪失なのであって、文化は所詮その空白を完全に埋めることはできない。「仮想の地球社会」においては、他者と真の意味で出会うこともなく、したがって世界の中で自己の位置づけを理解する機会も与えられないまま、むなしい自己探求から抜け出せなくなる。たとえば二〇〇一年九月十一日の大規模テロの奥底には、意味を喪失した「仮想の地球社会」において、記号の交換を自己増殖させる資本主義と、閉鎖的な象徴に存在確認を求めるテロ集団の衝突を見ることができるかもしれない。

そしてこうしたぶつかり合いが続いていけば、現代文明はその重みに耐えかねて衰亡するかもしれない。それを避けるためにはどうすればよいだろうか。もちろん今日の人類は「仮想の地球社会」を捨て去ることはできない。しかし同時に人間は、本来の言語の意味発見作用を想い起こし、アイデンティティや文化は他者との関係において生まれる相互的、創造的な過程であることを再認識すべきである。そこから人類に共通する世界観を見出す努力を行わねばならない。それはかつて哲学者西田幾多郎が、個々の民族文化の奥底にある「原文化」を探り出し、それを理解することこそが多様な文化形態の下で世界が一つになることだと論じた立場につながる。(19)世界市民主義は、近代ヨーロッパにおいて普遍理性を体現する個人主義となった。この時の「世界」は、無限の広がりをもつ、ニュートン的な普遍的、均質的な宇宙をイメージしたものであった。しかし、「世界」が地球に限定されざるをえなくなった今日、世界市民主義の「世界」は真空の宇宙ではなく、意味や価値の相互作用によって満たされた「世界」と見なされなければならない。

そのような世界市民主義を「豊饒《ほうじょう》な世界市民主義」と呼ぶとすれば、今日の状況では、カントが提示したような「慎重な普遍主義」が「豊饒な世界市民主義」と組み合わされて初めて、「永遠平和」への道が開かれるのではないだろうか。今日の「共和制」は普遍的な正義の実現を希求するだけではなく、文化的多様性と両立しつつ、アイデンティティや文化に解消されない国民意識によって支えられなければならないのではないだろうか。アイデンティティ、文化を異にする人々が一つの公共空間を共有し、相互に了解可能な言葉で物事を討議し、そこでの決定に従うという忠誠心をもつことこそが今日の「共和制」の一つの要件であろう。こうした共和制が増大し、文化的多様性の増大と世界の価値統一がなされることを期待し、それに向かって働きかけることが、一国のエゴイズムを超えた国家の目標となるであろう。その意味で「仮想の地球社会」化が進行する今日でも、主権国家体制、国際共同体、世界市民主義からなる国際政治のトリレンマは解消されていないし、また、そのトリレンマに住まうべきなのである。

カントも薄々疑っていたように、「永遠平和」は結局のところ、実現不可能であり、死者の国の平和なのかもしれない。しかし、永遠平和の可能性を信じることが、結果的に地上の平和をもたらす効果をもちうるのである。「仮想の地球社会」を現実の地球社会に転換することは決して実現しないかもしれないが、それでもその可能性を信じることは無意味ではないのである。

引用・参考文献

（1）西川長夫『地球時代の民族＝文化理論』新曜社、一九九五年
（2）Gerrit Gong, *The Standard of civilization in international society*, Oxford : Clarendon Press, 1984.
（3）佐藤卓己「ヨハン・G・フィヒテ『ドイツ国民に告ぐ』」大澤真幸編『ナショナリズム論の名著50』平凡社、二〇〇二年
（4）オズヴァルド・シュペングラー、村松正俊訳『西洋の没落』五月書房、一九七一年
（5）E・B・タイラー、比屋根安定訳『原始文化――神話・哲学・宗教・言語・芸能・風習に関する研究』誠信書房、一九六二年
（6）牧健二『近代における西洋人の日本歴史観』清水弘文堂書房、一九六九年
（7）ジョン・ダワー、斎藤元一訳『容赦なき戦争――太平洋戦争における人種差別』平凡社、二〇〇一年
（8）ルース・ベネディクト、長谷川松治訳『菊と刀――日本文化の型』社会思想社、一九七二年
（9）入江昭、篠原初枝訳『権力政治を超えて――文化国際主義と世界秩序』岩波書店、一九九八年
（10）E・H・カー、清水幾太郎訳『新しい社会』岩波新書、一九五三年
（11）梅棹忠夫『文明の生態史観』中公叢書、一九六七年
（12）フェルナン・ブローデル、松本雅弘訳『文明の文法』一　みすず書房、一九九五年
（13）カント、宇都宮芳明訳『永遠平和のために』岩波文庫、一九八五年
（14）Arthur Link ed., *Papers of Woodrow Wilson*, vol. 41, Princeton University Press, 1983.
（15）M・マクルーハン、栗原裕・河本仲聖訳『メディア論――人間の拡張の諸相』みすず書房、一

九八七年
(16) 青木保『異文化理解』岩波新書、二〇〇一年
(17) 坂口安吾「日本文化私観」『坂口安吾』ちくま日本文学全集　筑摩書房、一九九一年
(18) ハンナ・アレント、志水速雄訳『人間の条件』ちくま学芸文庫、一九九四年
(19) 西田幾多郎『日本文化の問題』岩波新書、一九四〇年

結章　二十一世紀の国際政治と人間

レーガン大統領とゴルバチョフ書記長による初めての首脳会談（1985年11月19日．©AP/WWP）

世界システムと国際政治

最も一般的に捉えた場合、政治とは人間が人間を統治する営みと定義できよう。社会により、時代により、環境によって、その営みの中で宗教や法や市場や技術がもつ比重は異なるけれども、政治の本質が人間の人間による統治であることに変わりはない。古代の政治のあり方が今日の我々に示唆を与え続けるのも、現在を見る時に我々はさまざまな介在物に目を奪われがちなのに対して、古代の政治はより単純で、それゆえに政治の本質を直接に映し出しているからではないだろうか。

近代ヨーロッパにおいて、政治は宗教的権威や封建的関係を脱して、普遍的な人間像を出発点とした。普遍的、抽象的な人間がいかにして集団を形成し、そこに統治が生まれるのかという問いが近代の政治的思考を支配してきた。その過程で、主権や国家といった概念が生み出され、主権国家の間でいかなる秩序が可能かという問いが実践的な課題として浮上した。

やがてテクノロジーの発達とともに、さまざまな境界を超える秩序の問題が意識されはじめ、そこに特殊な「政治」があると見なされるようになった。そこでは、現にある秩序としての主権国家体制と、可能な秩序としての国際共同体と、理念としての世界市民主義とが併存し、競合しながら、国際政治という領域を形づくっていった。

今日、本書で「仮想の地球社会」と呼んできたさまざまな徴候は、近代に生み出された政治と国際政治の区別を止揚し、新しい地球的政治を生み出していくのだろうか。率直に言って今の段階ではっきりと答えることはできない。しかし宇宙から人類を眺めるかのように、いわば人間を類的存在として科学的に観察し、制御する方法としての秩序を説く世界システム的観点に対して、人類が複数の政治的共同体に分かれ、第一義的には個々の政治的共同体の中で問題解決を図ることを原則とした上で、複数の政治的共同体に関わる問題について協力の範囲を広げるべく努力する伝統的な国際政治のあり方は、多くの矛盾と限界を抱えながらも、安易に否定しえない意義をもっていることを本書では強調してきた。

こうした私の立場は保守的と見なされるかもしれない。しかし、私はいくつかの理由から保守的な立場には意味があると考えている。まず、今日の人類をとりまく変動はたしかに巨大だが、歴史を振り返ると人類はいくつもの巨大な変動をくぐり抜けてきた。近代以降を見ても、地球全体を一つの世界とする生活や意識が形成され、やがてヨーロッパを中心とした地球規模での支配競争が人類を巻き込み、さらに普遍的な理想と強大な物質的、イデオロギー的力をもって米ソ超大国が地球規模で抗争した冷戦を経た。こうした長い過程を通じて、人類が理想的ではないにせよ、ある程度満足できる政治秩序として選択してきたのが、主権国家体制を基礎とした上で、その欠点の改善を図るという秩序のあり方だったのである。

もちろん今日の「仮想の地球社会」化の挑戦は、かつて人類が経験したいかなる挑戦よりも根源的なものかもしれない。思い切った発想の転換をして、国際政治という考え方を捨て去り、地球規模の世界政治という観点から考えるべきだという立場が論理的にありえないわけではないだろう。しかしそうした世界政治の様相は現時点ではあまりに混沌《こんとん》としている。人類がこれまで幾度もの試練を経て構築してきた国際政治という秩序をご破算にして、新しい秩序の可能性に賭ける立場が最善のものだとは私には思われない。私の立場が保守的なものというのは、第一にそういう意味においてである。

私が保守的な立場を否定しない第二の理由は、近代に発明された国家という制度は巨大な環境変化にかなりの適応力を示してきたという事実である。領邦君主をとりまく絶対主義国家として出発した近代主権国家は、領域国家となり、やがて国民国家となり、行政国家となった。現在の国際政治学の一流行である構成主義（constructivism）が強調するように、国家はその具体的形において万古不易の存在ではなく、その置かれた環境に応じて変容する存在である。そしてその適応に失敗した国家は衰え、時に存在すら失う。しかしそれは、国際政治そのものを変えたわけではなかった。

たとえばソ連東欧圏の共産主義体制の崩壊は、「仮想の地球社会」化への適応の失敗として理解できる。しかしそれは、かつてイタリアの都市国家に、十八世紀のポーランドに、十九世紀のハプスブルク帝国に、二十世紀初頭のオスマン帝国やロシア帝国、清朝中華帝国に起こったことと本質的に異なっていないかもしれない。そして現在の世界は、諸国がこの変化に適応するための方策を模索し、苦悩している状況と言えるのではないだろうか。

実際、国民国家の弱まりという徴候が明瞭にある一方で、国家と社会の関係は以前よりもいっそう緊密になっている。国民経済に占める公的部門の比重は依然として高く、人々が国家に対して求める要求水準はさまざまな面で高まっている。そして国家が現代のテクノロジーの利用に習熟するにしたがって、人々の統治をより効果的かつ強力に行えるようになっている徴候もうかがえるのである。

もちろん「仮想の地球社会」化の衝撃の大きさを考えると、現代の国家が多くの面で大きな変革を求められていることは確かである。政治的意思決定の方法においても、行政的制度においても、従来の発想を改める必要があるのだろう。国内政治過程においても、公式の組織に対して非公式のネットワークの重要性が高まっていることは確かだし、政府による規制も命令的、介入的なものから指示的、間接的なものとなっている。また、主権国家が国際政治の基本的な単位であるにしても、これほど多数の主権国家がある以上、さまざまな主権国家のネットワークが意味をもつであろうし、そういう試みが行われることは当然だろう。しかし人類全体に対していきなり一つの政治的枠組みをあてはめようとするよりも、世界の各地できまざまな転換が試みられ、その中で成功した試みから他者は学び、自らの状況に適合する形で取り入れていくということが人間にとって自然な姿ではないだろうか。そのような多様な創造性を生かす仕組みとして、主権国家体制は今日でも国際秩序の十分条件ではなくとも、必要条件なのではないだろうか。

しかし私が保守的な立場を評価する第三の、そして最大の理由は、今日の人類が受けている挑戦の性質の捉え方によるものである。私はそれをテクノロジーと人間の関係と捉えてきた。近代が人類にもたらした革新の中でも自由の観念とテクノロジーとは、最も根源的なものであり、ある時期まで両者は手をたずさえて進んできた。しかし今日、宇宙に人間を住まわせることを可能にしたテクノロジーは人間そのものをどう定義するかという問題を提起する段階にまで達した。テクノロジーの発達は、人類をまったく異なる生物へと、場合によっては不老不死さえも可能な生物以外の存在へと進化させうるのかもしれない。しかし私はこうした可能性に対して、伝統的な人間の生き方を守りたいと思う。さまざまな制約の中で生きることこそ、地球環境に生を享けた人間の責務であり、また人間の生み出してきた一切のものの源泉だからである。そして複数の国家によって営まれる国際政治は、こうした伝統的な人間からなる人類が、「仮想の地球社会」の住人としてではなく、現実の人類全体を統治するための、現在のところ最も確実な方法ではないだろうか。

外交、あるいは人間的なもの

十八世紀の初めにすぐれた外交官のあり方を説いて多くの外交官の教科書となった『外交談判法』を書いたカリエールは、国家間の関係の厳しさについて幻想を抱く人物ではなかった。彼は「戦争と同じように、交渉ごとにおいて通常あることであるが、大きな企みを成功させるのに、えりぬきのスパイほど役立つものはない」と書き、「大使は尊敬すべきスパイ」とすら書いている。しかしその彼が目指したのは、戦争ではなく交渉によって国家間の関係が安定し、外交で嘘をつくことが望ましくなく、そこでの約束の数は少なくとも誠実に実行される秩序であった。それは外交官が道徳的に改善されることではなく、国家が安定し、そのつきあいが長くなることがお互いにわかって初めて実現される。

立派な交渉家は、彼の交渉の成功を、決して、偽りの約束や約束を破ることとの上においてはならない。……交渉家として考えてみなければならないのは、一生の間には、一回だけではなく、何回も交渉ごとを扱うであろうし、嘘をつかない男だという定評ができることが彼にとっての利益であり、この評判を、彼は本物の財産のように大切にすべきであろうということである。

カリエールは交渉の利益を説くにあたって、「どんな大政治家にとっても模範」と称賛したリシュリュー枢機卿《すうきけい》の言葉を引いている。

自然の智慧は、誰にも教える。隣人を尊重しなければならない。何故ならば、近くにいれば害をなすこともありうるが、役に立ってくれることもありうるからである、ということを。それは丁度、城砦《じょうさい》の外郭が、ひとがいきなり城壁に近づくのを妨げているようなものである。……凡人の頭では、生れ故郷の国境の外までは思考は拡がらない。しかし、もう少し智慧に恵まれている人間は、遠隔の地にも防備を施せるようあらゆる手段をつくす(1)。

三百年ほど前にカリエールが説いたこの精神は、それほど昔でない国際政治においてもやはり意味をもっていたのではないだろうか。たとえば一九八〇年代の後半に、米ソの指導者の間に生まれた感情は、これに近いものであったように思われる。当時のレーガン米大統領はソ連を「悪の帝国」と呼んだ反共主義者だったし、ソ連のゴルバチョフ書記長はアメリカが軍産複合体に支配された帝国主義国だと考える共産主義者だった。しかしゴルバチョフは、一九八五年に書記長の地位に就いた時、アメリカとの対話が不可避であることを認識せざるをえなかった。

私自身も、国際問題における私の盟友たちも、アメリカから始めなければならぬという点で一致していた。アメリカは超大国であり、自他ともに許す西側世界のリーダーであり、その同意がなければ、東西関係に転換をもたらすいかなる試みも何の結果も生むことができず、逆に「陰謀」「くさびの打ち込み」ととられかねない。……ソ連を「悪の帝国」呼ばわりし、「レーガノミックス」、グラナダ侵攻、その他の醜い行為のために我が国の宣伝機関が口をきわめて罵《ののし》っているロナルド・レーガン大統領と共通の言葉を見出さなければならないのだ。しかしアメリカ大統領はわれわれが選ぶのではない。アメリカ国民の選択を認めなければならない(2)。

レーガン政権の対ソ交渉を推進したのはジョージ・シュルツ国務長官だった。シュルツは、ニクソン政権の財務長官としてソ連を訪れた経験を次のように記している。

ソ連人は手強い交渉者だが、交渉を成功に導くことができる相手だ。私の経験では、彼らは十分に準備をし、技と忍耐強さと粘りをもっている。私は彼らを、有能な交渉者としてだけではなく、取引をし、それを守ることができる人々として敬意を払った。確かに彼らは、交渉を非難とぺてんと恥知らずの宣伝の場にすることもできる。真剣に交渉に関わるか否かは、完全に彼らが自らの利益をどのように認識するかにかかっている。そうした状況は、我々が強く、意志強固であるだけでなく、相互に利益となる合意を行う意欲をもっているとソ連側が判断した時に訪れるだろう。私はアメリカの力を、アメリカの利益に沿った真剣な交渉のために用いることを決意したし、ロナルド・レーガンがこうした見方を共有していることも確信していた(3)。

そして長い事前交渉を経て、一九八五年十一月、ゴルバチョフとレーガンはジュネーブで初めての首脳会談を行った。サミットの期間中、完全な報道管制が敷かれ、サミットの終了時まで記者会見は行われないこととなった。最初の会談は両首脳のみで行われたが、両者の見解の相違は大きく、議論は激しく対立したという。しかし一五分の予定だった会談は一時間を超え、食事をはさんで午後にも続けられた。結局、両者の歩み寄りはなく、「対話は尽きた」(ゴルバチョフ)。しかし両者の間には人間としての感情が通い合うようになった。

この日の中程の時点では私［ゴルバチョフ］の考えは別だったし、それに夕方に別れた時も、私たちは対立したままだった。だがいつの間にか「人間的要因」が作動しはじめた。それぞれの直観が、分裂に向ってはならぬ、コンタクトをつづけねばならぬ、とそっとささやいた。どこか意識の奥底に合意への希望が生まれた。

両者は相互に訪問することを約した。後で話を聞いたシュルツも相互訪問の合意以上に、この日の大きな成果は、二人が過ごした時間の長さだということで皆の意見が一致した。私は個人的に、大きな成果は彼らが人間として認めあったことだと感じた(Personally, I thought the big story was that they had hit it off as human beings.)。

言うまでもなく、この出会いから冷戦が終焉するまでには幾多の紆余曲折《うよきょくせつ》があった。その間、数多くの実務的交渉が行われ、また、国連総会を通じた首脳の訴え、民間団体の参加した人権問題の討議など、国際政治の構造変化を感じさせる現象が生じた。しかし一九八五年十一月の米ソ両首脳の間で、伝統的な外交に近い舞台で行われた交渉によって生じた「人間的化学反応」がなければ、その後の変化の多くは起きなかったのではないだろうか。

もちろん両首脳の相互理解は限られたものであった。レーガンが覚えた数少ないロシア語の一つは「信頼せよ、しかし検証せよ」であったといわれるし、ゴルバチョフはレーガンを単なる保守派どころか「恐竜」だと考えていた。しかし相互の立場の違いを認識しつつ、相手の立場に立って考えるという「寛容」の精神によって二人は結ばれたのである。

寛容――冴えない美徳

イギリスの文筆家E・M・フォースターは、第二次世界大戦中に書かれた短いがすぐれた評論の中で次のように語っている。文明の再建に必要な精神について問われれば、たいていの人は、それは愛であると答えるだろう。愛があれば世界を滅ぼしかねない大変動の連鎖も断ち切れるだろう、と。しかし彼はこうした説に断固として反対する。

愛は、私生活では大きな力です。最大の力と言ってもいいほどです。ところが、公生活では役に立たないのです。それは何度も実験ずみで、中世のキリスト教文明でも、世俗版の人類愛強調運動だったフランス革命でも実験されました。ところが、すべて失敗したのです。国家同士で愛しなさい、企業同士あるいは商取引委員会同士で愛しなさい、ポルトガルで暮らしている人が、まったく知らないペルーの人を愛しなさいなどという——これはバカげた話で、非現実的で危険です。こうした精神が行きつく先は、危なかしく怪しげなセンチメンタリズムです。「必要なのは愛だ」と、ただお題目だけ唱えて椅子にひっくりかえっていたのでは、世界はすこしも変わりません。われわれは、じつは、直接知っている相手でなければ愛せないのです。そして、それほど多くの相手を知ることはできません。

愛に文明の再建を託すことを拒否するフォースターが、代わりに提示するのは「寛容」の精神である。なぜならそれが、「消極的な美徳」であり、「冴えない美徳」だからである。

私は講和条約の締結後にこれまで敵として戦ってきたドイツ人に会ったらどうしようということを、いつも考えてきました。愛そうとしてもとても無理です。とてもそんな気にはなれないでしょうから。……しかし、寛大に許すように努力しようと思います。それが常識というもので、戦後の世界ではドイツ人とも共存していかなくてはならないのですから。彼らがユダヤ人を絶滅できなかったように、われわれにも彼らを絶滅することなどできはしません。別に高尚な理由があってではなく、とりあえずそうするほかないので、彼らに対してもがまんするしかないのです……ある民族が嫌いでも、なるべくがまんするのです。愛そうとしてはいけない。そんなことはできませんから無理が生じます。ただ、寛容の精神でがまんするように努力するのです。こういう寛容の精神が土台になれば、文明の名に値する未来も築けるでしょう(4)。

友愛はたしかに積極的な価値である。しかしそれだけに、人間の愛の総量には限界がある。フォースターによれば、それは「ポテトを買う行列に他人と一緒に並んだとたん、たいていは挫折してしまう」。それが国際政治のような広い世界を覆うことは、仮にあったとしても一瞬に過ぎない。それに比べて寛容の要求水準は低い。それは人々がある程度余裕を持ちさえすれば、生まれうる価値である。私はテクノロジーがもたらす「仮想の地球社会」の中で人々が理性に目覚め、人類愛によって結ばれて平和と幸福と長期の健康とを享受するようになる世界よりも、時に怒り争い、時に欠乏に不平を鳴らし、時に誤解をしながら、人生に希望を抱きつつ、幾人かの人を愛し、やがて死んでいく人間からなる社会に住んでいたいと個人的には願うし、そこにこそ人間的な秩序が存在すると信じている。

引用・参考文献

（1）カリエール、坂野正高訳『外交談判法』岩波文庫、一九七八年
（2）ミハイル・ゴルバチョフ、工藤精一郎・鈴木康雄訳『ゴルバチョフ回想録』下巻、新潮社、一九九六年
（3）George P. Shultz, *Turmoil and Triumph*, New York : Charles Scribner's Sons, 1993.
（4）E・M・フォースター、小野寺健編訳『フォースター評論集』岩波文庫、一九九六年

あとがき

この書物を書く話を当時中公新書編集部長だった早川幸彦氏に頂いてから、書き上げるまでに一〇年以上の歳月がかかった。その間、書きはじめようとしながら幾度となく挫折した。他の仕事で忙しかったこともあるが、今の国際政治を総体的に映し出し、一つの姿にまとめ上げるにはどうすればよいのか、目処《めど》がたたなかったことが最大の理由である。言い訳になるが、一九九〇年代の国際政治はあまりに変動が大きすぎた。国際政治の現実の変化を見通して私なりの国際政治観を組み立てることは、私の洞察力の及ぶところではなかった。

ようやく本格的に執筆を始めてからも模索の日々が続いた。少し書いては迷い、あれこれと書物をひもといては書きつづり、ある程度まとまっては大きく書き改めるという作業の連続だった。文章を書き終えた時にはいつも感じることだが、あれだけ苦労してこの程度のものしか書けなかったという苦い思いをもつ。しかしいかに不十分ではあっても自分なりの満足感のようなものもあるのは確かである。

執筆の過程で常に最良の導き手となってくれたのは、恩師高坂正堯《こうさかまさたか》教授が一九六〇年代に本書と同じ中公新書の一冊として公刊された『国際政治――恐怖と希望』だった。というのも、私が高坂教授から教えられたことの一つは、政治をあくまで人間の営みとして捉えるという古典的な視線であり、私は本書を書くにあたってこの姿勢を自分なりに消化し、表現したいと考えたからである。国際政治学や国際関係論の理論や概念の整理ではなく、国際政治を一人の人間として総体的に捉えたいという、知的細分化が進む今日ではアナクロと見なされるかもしれない希望を抱いたのもそのためである。

十九世紀から発達した社会科学や実証主義は、人間社会を客観的に観察し、さまざまな理論や歴史観を生み出してきた。それはそれで重要な進歩である。しかし、ハンナ・アレントが行動主義について評したように、「厄介なのはそれが誤っているということではなく、それが正しいものになったということであり、それが実際に近代社会のある明白な傾向を概念化するのに最も可能性のある方法であるということ」なのである。社会科学や実証主義の方法が間違っているわけではない。現代社会を観察する方法としてそれは適切なものである。しかしそれは、人間の行動を統計や量、合理性といった枠の中にあてはめていき、個々の人問の創造性という側面を見落とす傾向をもつ。そして政治の本質は、あくまで断片的なさまざまな知識情報の後に来る判断であり、創造であると思う。それは私が高坂教授から教えられたと感じることの反映であり、私は彼から多くを学べたことを喜び、また本書について彼の意見を聞くことができないことを悲しく思う。

次に感謝を表したいのは、アメリカ留学時代以来、折に触れて暖かい励ましを下さった入江昭ハーヴァード大学教授である。入江教授と高坂教授は、同い年であり、若い頃から互いに尊敬されていた間柄のようであった。お二人は国際政治に対する見方や価値観に違いがあることを認め合いながら、しかも真正の敬意を払い合うという学問的、人間的模範を示してくださった。戦後日本を代表する二人の国際的知識人の謦咳《けいがい》に接することができたことを、私は研究人生の最大の幸福であったと感じている。

もちろん感謝をせねばならない人々の輪は無限に広がっていく。京都大学で学生、院生時代から励まし、支えてくれた多くの先輩、同輩、友人、奉職するようになってから自由な研究環境を与えてくれた勤務先と同僚、研究の過程を通じて知り合った内外の多くのすぐれた研究者、講義を受け持つようになって授業やゼミを共にした学生。妻淑子は執筆に明けくれる夫とのつきあいによく耐えてくれ、本書の図表のいくつかを作成してくれた。

そして最大の感謝は父母に対するものである。わがままな一人息子に対して父母は常に寛容の姿勢で接してくれた。あらためて父母の育て方に感謝と敬意を表して、本書を父母と恩師高坂教授に捧げたい。

本書執筆に至るまでにはずいぶんと多くの人々にご迷惑をおかけした。とりわけ、前述の早川幸彦氏をはじめ、現中公新書編集部の松室徹氏、吉田大作氏には心配と迷惑のかけ通しであり、彼らの励ましと忍耐がなければ本書の完成はありえなかった。記して感謝したい。

二〇〇三年三月

中西 寛

文献案内

本書は国際政治学・国際関係論の手引き書としての体裁をとっていない。最近ではこの分野の入門書、概説書もかなり豊富になったので、興味ある読者はそれらを参照して頂ければ幸いである。便宜のために現時点で日本語で読める著作（各章末の注で言及したものを原則として除く）について、簡単に紹介しておく。

◆国際政治の基本的な考え方を知るには、今日でも示唆に富む古典的著作を読むことから始めるのも一つの方法だろう。

E・H・カー、井上茂訳『危機の二十年』岩波文庫、一九九六年
ジョージ・F・ケナン、近藤晋一・飯田藤次・有賀貞訳『アメリカ外交五〇年』岩波現代文庫、二〇〇〇年
中江兆民、桑原武夫・島田虔次訳・校注『三酔人経綸問答』岩波文庫、一九六五年
高坂正堯『国際政治――恐怖と希望』中公新書、一九六六年

◆国際政治のより体系的な叙述として

F・シューマン、長井信一訳『国際政治』全二巻 東京大学出版会、一九七三年

ハンス・モーゲンソー、現代平和研究会訳『国際政治——権力と平和』全三巻 福村出版、一九八六年

◆安全保障の歴史と理論の概観として

ポール・ケネディ、鈴木主税訳『大国の興亡』全二巻 草思社、一九九三年

ゴードン・クレイグ／アレクサンダー・ジョージ、木村修三・五味俊樹他訳『軍事力と現代外交（原書第四版）』有斐閣、二〇〇九年

ジョセフ・ナイ、田中明彦・村田晃嗣訳『国際紛争——理論と歴史』有斐閣、二〇〇九年

◆安全保障に関するより個別的なテーマを扱ったものとして

防衛大学校安全保障学研究会編著『安全保障学入門（新訂第四版）』亜紀書房、二〇〇九年

黒澤満『軍縮問題入門（新版）』東信堂、二〇〇五年

◆政治経済分野については

ロバート・ギルピン、大蔵省世界システム研究会訳『世界システムの政治経済学——国際関係の新段階』東洋経済新報社、一九九〇年

ポール・ケネディ、鈴木主税訳『二一世紀の難問に備えて』全二巻　草思社、一九九三年
田所昌幸『国際政治経済学』名古屋大学出版会、二〇〇九年

◆科学技術と国際政治の関係について

ユージン・スコルニコフ、薬師寺泰蔵・中馬清福監訳『国際政治と科学技術』NTT出版、一九九五年

◆発展途上国のかかえる政治問題を概括的に扱った著作として

ポール・コリアー、中谷和男訳『最低辺の10億人』日経BP社、二〇〇九年

◆国際政治における倫理の位置づけをめぐっては

スタンリー・ホフマン、最上敏樹訳『国境を超える義務——節度ある国際政治を求めて』三省堂、一九八五年
マイケル・ウォルツァー、萩原能久監訳『正しい戦争と不正な戦争』風行社、二〇〇八年

◆国際関係理論の変遷を概観した書物として

F・パーキンソン、初瀬龍平・松尾雅嗣訳『国際関係の思想』岩波書店、一九九一年

◆国際関係の数理的分析について概観するには

鈴木基史『国際関係』東京大学出版会、二〇〇〇年

◆近代ヨーロッパ主権国家体制から出発する国際政治史については

岡義武『国際政治史』岩波書店、一九五五年

高坂正尭『古典外交の成熟と崩壊』中央公論社、一九七八年

H・キッシンジャー、岡崎久彦監訳『外交』全二巻　日本経済新聞社、一九九六年

有賀貞『国際関係史――一六世紀から一九四五年まで』東京大学出版会、二〇一〇年

◆二十世紀の国際関係を概観するには

入江昭『二十世紀の戦争と平和（増補版）』東京大学出版会、二〇〇〇年

ジョン・L・ガディス、河合秀和・鈴木健人訳『冷戦――その歴史と問題点』彩流社、二〇〇六年

◆国際政治との関係において有益な国際法上の論点を扱った著作として

A・ニュースボーム、広井大三訳『国際法の歴史』こぶし社、一九九七年

国際法学会編『日本と国際法の一〇〇年』全一〇巻　三省堂、二〇〇一年

◆国際政治の文化的、社会的側面を扱った著書として
平野健一郎『国際文化論』東京大学出版会、二〇〇〇年
梶田孝道編『新・国際社会学』名古屋大学出版会、二〇〇五年
◆国際政治を学ぶ際に座右にあると便利な事典として
田中明彦・中西寛編『新・国際政治経済の基礎知識』有斐閣、二〇〇四年
川田侃・大畠英樹編『国際政治経済辞典（改訂版）』東京書籍、二〇〇三年
猪口孝他編『国際政治事典』弘文堂、二〇〇五年
◆外国語文献を含めた国際関係論の文献案内として
花井等・石井貫太郎編『名著に学ぶ国際関係論（第二版）』有斐閣、二〇〇九年
岩田一政他編『国際関係研究入門（増補版）』東京大学出版会、二〇〇三年

ヤ・ラ・ワ行

＊

マ　行

ナ　行

ハ　行

タ　行

サ　行

索　引

・記述が2ページ以上にわたる場合，最初のページのみをゴシック体数字で示した

ア　行

カ　行

中西　寛（なかにし・ひろし）

1962年（昭和37年），大阪府生まれ．京都大学法学部卒業．同大学院修士課程修了．88〜90年，シカゴ大学歴史学部留学．国際政治学専攻．現在，京都大学大学院法学研究科教授．

主な論文に「20世紀国際関係の始点としてのパリ講和会議」「吉田・ダレス会談再考——未完の安全保障対話」「戦後日本と平和——論議の不毛と理念の希望」などがある．『高坂正堯著作集』全8巻（1998〜2000，都市出版）を，五百旗頭真，坂元一哉，佐古丞各氏と編纂する．

本書で第4回読売・吉野作造賞を受賞．

国際政治《こくさいせいじ》とは何《なに》か
中公新書 *1686*

2003年3月25日初版
2010年5月15日9版

著　者　中西　寛
発行者　浅海　保

本文印刷　三晃印刷
カバー印刷　大熊整美堂
製　本　小泉製本

発行所　中央公論新社
〒104-8320
東京都中央区京橋 2-8-7
電話　販売 03-3563-1431
　　　編集 03-3563-3668
URL http://www.chuko.co.jp/

Published by CHUOKORON-SHINSHA, INC.
Printed in Japan　ISBN4-12-101686-6 C1231